U0127147

第一百六回　王熙凤致祸抱羞惭　贾太君祷天消祸患

话说贾政闻知贾母危急，即忙进去看视，见贾母惊吓气逆，王夫人鸳鸯等唤醒回来，即用疏气安神的丸药服了，渐渐的好些，只是伤心落泪。（坏一下，好一下，最后完蛋；病一下，愈一下，终于死亡。）贾政在旁劝慰，总说：『是儿子们不肖，（果然不肖！）招了祸来，累老太太受惊。若老太太宽慰些，儿子们尚可在外料理；若是老太太有什么不自在，儿子们的罪孽更重了。』贾母道：『我活了八十多岁，自作女孩儿起，到你父亲手里，都托着祖宗的福，从没有听见过这些事；如今到老了，见你们倘或受罪，叫我心里过得去吗？倒不如合上眼，随你们去罢了。』（此话动人！到了关键时刻，要摆摆老资格，讲讲古。）说着，又哭。

贾政此时着急异常，又听外面说：『请老爷，内廷有信。』贾政急忙出来，见是北静王府长史，一见面便说：『大喜！』贾政谢了，请长史坐下，请问：『王爷有何谕旨？』那长史道：『我们王爷同西平郡王进内复奏，将大人的惧怕的心、感激天恩之话都代奏了。主上甚是悯恤，并念及贵妃溘逝未久，不忍加罪，着加恩仍在工部员外上行走。所封家产，惟将贾赦的入官，余俱给还，并传旨令尽心供职。惟抄出借券，令我们王爷查核。如有违禁重利的，一概照例入官；其在定例生息的，同房地文书，尽行给还。贾琏着革去职衔，免罪释放。』（依此种写法北静王还算个关照者，前文亦屡写北静王对贾府的好意，到底什么关系，什么背景，则是『红』所回避的了。天恩如海，宽大处理。）贾政听毕，即起身叩谢天恩，又拜谢王爷恩典：『先请长史大人代为禀谢，明晨到阙谢恩，并到府里磕头。』那长史去了。少停，传出旨来，承办官遵旨一一查清，入官者入官，给还者给还。将贾琏放下，所有贾赦名下男妇人等造册入官。（道是无情却有情，是天恩有情，也是北静王有情，更是作续者有情，对人世，对王朝，对权贵豪门，哪能毫无眷恋呢？）

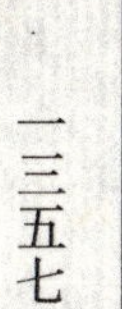

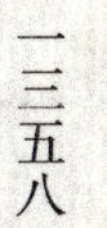

可怜贾琏屋内东西，除将按例放出的文书发给外，其余虽未尽入官的，早被查抄的人尽行抢去，所存者只有家伙物件。贾琏始则惧罪，后蒙释放，已是大幸，及想起历年积聚的东西并凤姐的体己，不下七八万金，一朝而尽，怎得不疼；且他父亲现禁在锦衣府，凤姐病在垂危，怎得不痛。（不是好来的，不会好去的。种瓜得瓜，种豆得豆。）又见贾政含泪叫他，问道：『我因官事在身，不大理家，故叫你们夫妇总理家事。你父亲所为，固难劝谏，那重利盘剥，究竟是谁干的？况且非咱们这样人家所为。如今入了官，在银钱，是不打紧的，这种声名出去还了得吗！』贾琏跪下说道：『侄儿办家事，并不敢存一点私心，（不敢存私心云云，仍在自欺欺人。）所有出入的账目，自有赖大、吴新登、戴良等登记，老爷只管叫他们来查问。现在这几年，库内的银子出多入少，虽没贴补在内，已在各处做了好些空头，求老爷问太太就知道了。这些放出去的账，连侄儿也不知道那里的银子，要问周瑞、旺儿才知道。』贾政道：『据你说来，连你自己屋里的事还不知道，那些家中上下的事更不知道了。我这回也不来查问你。现今你无事的人，你父亲的事和你珍大哥的事，还不快去打听打听？』（贾政平时装模作样，出了事责备『下级』。）贾琏一心委屈，含着眼泪，答应了出去。

贾政叹气，连连的想道：『我祖父勤劳王事，立下功勋，得了两个世职，如今两房犯事，都革去了。我瞧这些子侄没一个长进的。（你就长进？一代不如一代。）老天啊，老天啊！我贾家何至一败如此！（问天何益？莫若问己。）我虽蒙圣恩格外垂慈，给还家产，那两处食用，自应归并一处，叫我一人那里支撑的住？方才琏儿所说，更加诧异，说不但库上无银，而且尚有亏空。这几年竟是虚名在外，只恨我自己为什么糊涂若此？倘或我珠儿在世，尚有膀臂；宝玉虽大，更是无用之物。』想到那里，不觉泪满衣襟。又想：『老太太若大年纪，儿子们并没有自能奉养一日，反累他吓得死去活来，种种罪孽，叫我委之何人？』（罪孽乎？诚罪孽也。『罪孽』是『红』的关键词之一。但与例如托尔斯泰的《复活》或雨果的《悲惨世界》不同，在描写罪孽的同时，『红』描写了那么多充满生命魅力的人物。）

正在独自悲切，只见家人禀报：『各亲友进来看候。』贾政一一道谢，说起：『家门不幸，是我不能管教子侄，所以至此。』有的说：『我久知令兄赦大老爷行事不妥，那边珍哥更加骄纵。若说因官事错误，得个不是，于心无愧。如今自己闹出的，倒带累了二老爷。』有的说：『人家闹的也多，也没见御史参奏。不是珍老大得罪朋友，何重如此！』有的说：『也不怪御史，我们听见说是府上的家人同几个泥腿在外头哄嚷出来的。御史恐参奏不实，所以诓了这里的人去，才说出来的。我想府上待下人最宽的，为什么还有这事？』（回避要害，谈论枝节浮面，不可能总结出有意义的教训来。）有的说：『大凡奴才们是一个养活不得的。今儿在这里都是好亲友，我才敢说。就是尊驾在外任，我保不得——你是不爱钱的，——那外头的风声也不好，都是奴才们闹的，你该堤防些。如今虽说没有动你的家，倘或再遇着主上疑心起来，好些不便呢。』贾政听说，心下着忙道：『众位听见我的风声怎样？』众人道：『我们虽没见实据，只闻外面人说你在粮道任上，怎么叫门上家人要钱。』贾政听了，便说道：『我是对得天的，从不敢起这要钱的念头。只是奴才在外招摇撞骗，闹出事来，我就吃不住了。』（根据前述，贾政是被李十儿说服，有意识地睁一只眼闭一只眼，放纵下属家奴去胡作非为的。还如此不自责。）众人道：『如今怕也无益，只好将现在的管家们都严严的查一查，若有抗主的奴才，查出来严严的办一办。』

贾琏自称『不敢存一点私心』，贾政自称可以『对得天』。没有一点认真的反思。不可救药了。

贾政听了点头。便见门上进来回禀说：『孙姑爷那边打发人来说，自己有事不能来，着人来瞧瞧。』（是生活本身漫画化？是用笔用『漫』了？）说大老爷该他一种银子，要在二老爷身上还的。』贾政心内忧闷，只说：『知道了。』众人都冷笑道：『人说令亲孙绍祖混账，真有些。』（混账之名远扬。）如今丈人抄了家，不但不来瞧看帮补照应，倒赶忙的来要银子，真真不在理上。』贾政道：『如今且不必说他，那头亲说原是家兄配错的。我的侄女儿的罪已经受够了，如今又招我来。』正说着，只见薛蝌进来说道：『我打听锦衣府赵堂官必要照御史参的办去，只怕大老爷和珍大爷吃不住。』众人都道：『二老爷，还得是你出去求求王爷，怎么挽回挽回才好；不然，这两家就完了。』贾政答应致谢，众人都散。

那时天已点灯时候，贾政进去请贾母的安，见贾母略略好些。回到自己房中，埋怨贾琏夫妇不知好歹，如今闹出放账取利的事情，大家不好，方见凤姐所为，心里很不受用。凤姐现在病重，知他所有什物，尽被抄抢一光，心内郁结，一时未便埋怨，暂且隐忍不言。一夜无话。

次早，贾政进内谢恩，并到北静王府西平王府两处叩谢，求两位王爷照应他哥哥侄儿。两位应许。贾政又在同寅相好处托情。（封建王朝处理人事，爱走极端，此次对贾府竟能手下留情，进行『保护性惩戒』，不知后面有何潜台词。）

『红』还是宣扬一种类似报应的观念的。它宣扬的是：好人未必好报（如晴雯、黛玉），恶人却常有恶报。

且说贾琏打听得父兄之事不很妥，无法可施，只得回到家中。平儿守着凤姐哭泣，秋桐在耳房中抱怨凤姐。贾琏走近旁边，见凤姐奄奄一息，就有多少怨言，一时也说不出来。平儿哭道：『如今事已如此，东西已去，不能复来。奶奶这样，还得再请个大夫调治调治才好。』贾琏啐道：『我的性命还不保，我还管他么！』（这种语言倒真是凤姐的丈夫！）凤姐听见，睁眼一瞧，虽不言语，那眼泪流个不尽。见贾琏出去，便与平儿道：『你别不达时务了。到了这样田地，你还顾我做什么？我巴不得今儿就死才好。只要你能够眼里有我，我死之后，你扶养大了巧姐儿，我在阴司里也感激你的。』（既有今日，何必当初！）平儿听了，放声大哭。凤姐道：『你也是聪明人。他们虽没有来说我，他必抱怨我的。虽说事是外头闹的，我若不贪财，如今也没有我的事。不但是枉费心计，（『枉费心计』四个字，字字重千斤。）挣了一辈子的强，如今落在人后头。我只恨用人不当，（这里的『用人不当』云云，其实是开脱自己罪责。）恍惚听得那边珍大爷的事，说是强占良民妻子为妾，不从逼死，有个姓张的在里头，你想想还有谁？若是这件事审出来，咱们二爷是脱不了的，我那时怎样见人？我要即时就死，又耽不起吞金服毒的。（想起吞金了么？）你到还要请大夫，可不是你为顾我，反倒害了我了么。』平儿愈听愈惨，想来实在难处，恐凤姐自寻短见，只得紧紧守着。（一下子到了这一步！）

幸贾母不知底细，因近日身子好些，又见贾政无事，宝玉宝钗在旁，天天不离左右，略觉放心。（宝玉宝钗对抄家能无反应么？）素来最疼凤姐，便叫鸳鸯：『将我体己东西拿些给凤丫头，再拿些银钱交给平儿，好好的伏侍好了凤丫头，我再慢慢的分派。』又命王夫人照看了邢夫人。又加了宁国府第入官，所有财产房地等并家奴等俱造

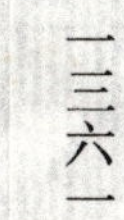

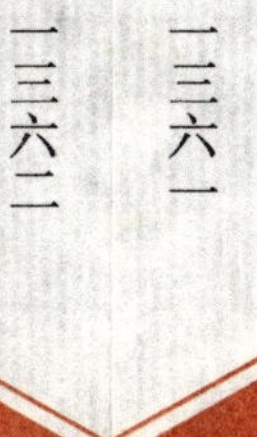

册收尽，这里贾母命人将车接了尤氏婆媳等过来。可怜赫赫宁府，只剩得他们婆媳两个并佩凤偕鸾二人，连一个下人没有。贾母指出房子一所居住，就在惜春所住的间壁。又派了婆子四人，丫头两个伏侍。一应饭食起居在大厨房内分送。衣裙什物又是贾母送去。零星需用亦在账房内开销，俱照荣府每人月例之数。（愈写贾母之照顾周到，愈显出宁府的可怜来了。）

那贾赦、贾珍、贾蓉在锦衣府使用，账房内实在无项可支。如今凤姐一无所有，贾琏况又多债务满身，贾政不知家务，只说：『已经托人，自有照应。』贾琏无计可施，想到那亲戚里头，薛姨妈家已败，王子腾已死，余者亲戚虽有，俱是不能照应，只得暗暗差人下屯，将地亩暂卖了数千金，作为监中使费。贾琏如此一行，那些家奴见主家势败，也便趁此弄鬼，并将东庄租税也就指名借用些。（千疮百孔，内外交困，漏洞百出。也是多米诺骨牌效应。）此是后话，暂且不提。

（胜利、失败、快乐、悲哀都是有传染性的。所以事物发展到一定程度，会产生突然的加速加力现象，胜则势如破竹，败则一败涂地，喜则锦上添花，悲则祸不单行。）

且说贾母见祖宗世职革去，现在子孙在监质审，邢夫人尤氏等日夜啼哭，凤姐病在垂危，虽有宝玉宝钗在侧，只可解劝，不能分忧，所以日夜不宁，思前想后，眼泪不干。一日傍晚，叫宝玉回去，自己扎挣坐起，叫鸳鸯等各处佛堂上香；又命自己院内焚起斗香，用拐拄着，出到院中。琥珀知是老太太拜佛，铺下大红短毡拜垫。贾母上香跪下，磕了好些头，念了一回佛，含泪祝告天地道：『皇天菩萨在上，我贾门史氏，虔诚祷告，求菩萨慈悲。（贾

太君祷告，符合其年龄身份，此举动中隐藏着自己能与皇天菩萨交通的自信。）我贾门数世以来，不敢行凶霸道。我帮夫助子，虽不能为善，亦不敢作恶。必是后辈儿孙骄侈暴佚，暴殄天物，以致阖府抄检。现在儿孙监禁，自然凶多吉少，皆由我一人罪孽，不教儿孙，所以至此。我今叩求皇天保佑：在监的逢凶化吉，有病的早早安身。总有阖家罪孽，情愿一人承当，只求饶恕儿孙。（想得未免太便宜了。）若皇天见怜我虔诚，早早赐我一死，宽免儿孙之罪。』（对罪孽是一笔带过，付出的代价极小极小，所祈求的又极多极多。）默默说到此，不禁伤心，呜呜咽咽的哭泣起来。鸳鸯珍珠一面解劝，一面扶进房去。

只见王夫人带了宝玉宝钗，过来请晚安。见贾母悲伤，三人也大哭起来。宝钗更有一层苦楚：想哥哥也在外监，将来要处决，不知可减缓否；翁姑虽然无事，眼见家业萧条；宝玉依然疯傻，毫无志气。想到后来终身，更比贾母王夫人哭得悲痛。宝玉见宝钗如此大恸，他亦有一番悲戚，想的是：『老太太年老不得安心，老爷太太见此光景，不免悲伤；众姐妹风流云散，一日少似一日。追想在园中吟诗起社，何等热闹；自从林妹妹一死，我郁闷到今，又有宝姐姐过来，未便时常悲切。见他忧兄思母，日夜难得笑容。』今见他悲哀欲绝，心里更加不忍，竟嚎啕大哭。鸳鸯、彩云、莺儿、袭人见他们如此，也各有所思，便也呜咽起来。余者丫头们看得伤心，也便陪哭，竟无人解慰。（当年一起笑，一起吃喝，一起威风。如今一起哭吧！封建大家庭平日尔虞我诈，勾心斗角，遇到事，毕竟还是命运共同体。）满屋中哭声惊天动地，将外头上夜婆子吓慌，急报于贾政知道。

那贾政正在书房纳闷，听见贾母的人来报，心中着忙，飞奔进内。远远听得哭声甚众，打谅老太太不好，急

得魂魄俱丧。疾忙进来，只见坐着悲啼，神魂方定，说是：『老太太伤心，你们该劝解，怎么的齐打伙儿哭起来了？』众人听得贾政声气，急忙止哭，大家对面发怔。贾政上前安慰了老太太，又说了众人几句。各自心想道：『我们原恐老太太悲伤，故来劝解，怎么忘情，大家痛哭起来？』

正自不解，（正自不解云云，说明自己已经控制不住自己的情感。）只见老婆子带了史侯家的两个女人进来，请了贾母的安，又向众人请安毕，便说：『我们家老爷、太太、姑娘打发我来说，听见府里的事，原没有什么大事，不过一时受惊。恐怕老爷太太烦恼，叫我们过来告诉一声，说这里二老爷是不怕的了。我们姑娘本要自己来的，因不多几日就要出阁，所以不能来了。』（所谓贾薛王史四大家族，只剩下了史家状态尚可。）贾母听了，不便道谢，说：『你回去给我问好。这是我们的家运合该如此。承你老爷太太惦记，过一日再来奉谢。你家姑娘出阁，想来你们姑爷是不用说的了，他们的家计如何？』两个女人回道：『家计倒不怎么着，只是姑爷长的很好，为人又和平。我们见过好几次，看来与这里宝二爷差不多，还听得说，才情学问都好的。』贾母听了，喜欢道：『咱们都是南边人，虽在这里住久了，那些大规矩还是从南方礼儿，所以新姑爷我们都没见过。我前儿还想起我娘家的人来，最疼的就是你们姑娘，一年三百六十天，在我跟前的日子倒有二百多天。混得这么大了，我原想给他说个好女婿，又为他叔叔不在家，我又不便作主。他既造化配了个好姑爷，我也放心。月里出阁，我原想过来吃杯喜酒的，不料我家闹出这样事来，我的心就像在热锅里熬的似的，那里能够再到你们家去？你回去说我问好，我们这里的人，都请安问好。你替另告诉你家姑娘，不要将我放在心里。我是八十多岁的人了，就死也算不得没福的了。只愿他过

了门，两口子和顺百年到老，我便安心了。』说着，不觉掉下泪来。那女人道：『老太太也不必伤心。姑娘过了门，等回了九，少不得同姑爷过来请老太太的安，那时老太太见了才喜欢呢。』贾母点头。那女人出去。别人都不理论，只有宝玉听着发了一回怔，心里想道：『如今一天一天的都过不得了，为什么人家养了女儿到大了必要出嫁？一出了嫁就改变。史妹妹这样一个人，又叫他叔叔硬压着配人了。他将来见了我，必是又不理我了。我想一个人到了这个没人理的分儿，还活着做什么！』（贾宝玉的老一套。如果想不出别的词儿来，实不如不写。自己不断重复自己，不但令人觉得作者絮聒，也觉得人物没劲。）想到那里，又是伤心；见贾母此时才安，又不敢哭泣，只是闷闷的。

一部长篇小说，写到最后，要给每个人物搞个结局，确实非常困难。探春理家，湘云醉卧，曾是多么精彩！探春远嫁，湘云出阁，又写得何等寡淡！愈是虎头豹腰，就愈容易搞成蛇尾！高鹗如此，即使曹公本人，写到尾部也会深感困难。其实又岂止小说如此？

一时，贾政不放心，又进来瞧瞧老太太。见是好些，便出来传了赖大，叫他将府里管事家人的花名册子拿来，一齐点了一点。除去贾赦入官的人，当有三十余家，共男女二百十二名。贾政叫现在府内当差的男人共二十一名进来，问起历年居家用度，共有若干进来，该用若干出去。那管总的家人将近年支用簿子呈上。贾政看时，所入不敷所出，又加连年宫里花用，账上有在外浮借的也不少。再查东省地租，近年头交不及祖上一半，如今用度比祖上更加十倍。贾政不看则已，看了急得跺脚道：『这了不得！我打谅虽是琏儿管事，在家自有把持，岂知好几年头里，已就「寅年用了卯年」的，还是这样装好看！竟把世职俸禄当作不打紧的事情，为什么不败呢？我如今要就省俭起来，已是迟了。』（不管具体事，不解决任何问题，只知道貌岸然，出了事全不自责。这样的老爷多了怎不败落？）想

到那里，背着手踱来踱去，竟无方法。

众人知贾政不知理家，也是白操心着急，便说道：『老爷也不用心焦，这是家家这样的。（『家家这样』云云，太刺激了。全面危机。）若是统总算起来，连王爷家还不够。不过是装着门面，过到那里就到那里。如今老爷到底得了主上的恩典，才有这点子家产，若是一并入了官，老爷就不用过了不成？』（其实是套话。贾政听不进真话。）贾政嗔道：『放屁！你们这班奴才最没有良心的，仗着主子好的时候，任意开销；到弄光了，走的走，跑的跑，还顾主子的死活吗？如今你们道是没有查封是好，那知道外头的名声。大本儿都保不住，还搁得住你们在外头支架子，说大话，诓人骗人？到闹出事来，望主子身上一推就完了。如今大老爷与珍大爷的事，说是咱们家人鲍二在外传播的，我看这人口册子上并没有鲍二，这是怎么说？』（联系前文写到的鲍二的事。）众人回道：『这鲍二是不在册档上的。先前在宁府册上，为二爷见他老实，把他们两口子叫过来了。及至他女人死了，他又回宁府去。后来老爷衙门有事，老太太、太太们和爷们往陵上去，珍大爷替理家事，带过来的，以后也就去了。老爷数年不管家事，那里知道这些事来？老爷打量册上有这名字就只有这个人，不知一个人手下亲戚们也有，奴才还有奴才呢！』（制造册与实际情况不符。）贾政道：『这还了得！』想去一时不能清理，只得喝退众人，早打了主意在心里了，且听贾赦等事审得怎样再定。一日，正在书房筹算，只见一人飞奔进来，说：『请老爷快进内廷问话。』贾政听了，心下着忙，只得进去。未知吉凶，下回分解。（本回写作平淡无灵性。）

迁怒于奴就更无道理，更没出息。抄家是晴天霹雳！然后贾母空头祷告，贾政空头起火，凤姐空头等死，众人空头哭啼，一点

认真的反省也没有。一个顶用的人也没有。遇事没有一个有主张有见解的。坐享世职，造就了一批废物，一批坏蛋。这也是懒、馋、占、贪、变。

树倒猢狲散，毕竟是猢狲还在，还聚在已倒的烂树周围，即使猢狲将灭，也还有一个灭的过程，不能不努力一一写到，写得虽未见佳，正好与热火烹油时的诸景象比照。

第一百七回　散余资贾母明大义　复世职政老沐天恩

话说贾政进内，见了枢密院各位大人，又见了各位王爷。北静王道：『今日我们传你来，有遵旨问你的事。』贾政即忙跪下。众大人便问道：『你哥哥交通外官、恃强凌弱、纵儿聚赌、强占良民妻女不遂逼死的事，你都知道么？』贾政回道：『犯官自从主恩钦点学政任满后，查看赈恤，于上年冬底回家，又蒙堂派工程，后又任江西粮道，题参回都，仍在工部行走，日夜不敢怠惰。一应家务，并未留心伺察，实在糊涂。不能管教子侄，这就是辜负圣恩。只求主上重重治罪。』（一面托王爷『挽回挽回』，一面『只求……重重治罪』，虚伪、礼貌、忠心、可爱。）北静王据说转奏。

不多时，传出旨来，北静王便述道：『主上因御史参奏贾赦交通外官，恃强凌弱。据该御史指出平安州互相往来，贾赦包揽词讼。严鞫贾赦，据供平安州原系姻亲来往，并未干涉官事，该御史亦不能指实。惟有倚势强索石呆子古扇一款是实的，然系玩物，究非强索良民之物可比。（此事亦有报。）虽石呆子自尽，亦系疯傻所致，与

王蒙评点

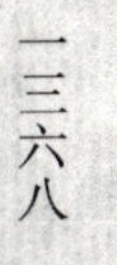

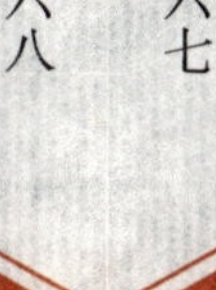

逼勒致死者有间。令从宽将贾赦发往台站效力赎罪。所参贾珍强占良民妻女为妾不从逼死一款，提取都察院原案，看得尤二姐实系张华指腹为婚未娶之妻，因伊贫苦自愿退婚，尤二姐之母愿结贾珍之弟为妾，并非强占。再尤三姐自刎掩埋并未报官一款，查尤三姐原系贾珍妻妹，本意为伊择配，因被逼索定礼，众人扬言秽乱，以致羞忿自尽，并非贾珍逼勒致死。（如此曲为洗白，如此具体，不像『主上』的言词。）但身系世袭职员，罔知法纪，私埋人命，本应重治，念伊究属功臣后裔，不忍加罪，亦从宽革去世职，派往海疆效力赎罪。贾蓉年幼无干省释。贾政实系在外任多年，居官尚属勤慎，免治伊治家不正之罪。』贾政听了，感激涕零，叩首不及，（怎能不感激？先是泰山压顶地压下来，再徐徐网开一面。不仅贾政，读者读到这也想叩头流血谢恩。）又叩求王爷代奏下忱。北静王道：『你该叩谢天恩，更有何奏？』贾政道：『犯官仰蒙圣恩，不加大罪，又蒙将家产给还，实在扪心惶愧，愿将祖宗遗受重禄，积余置产，一并交官。』北静王道：『主上仁慈待下，明慎用刑，赏罚无差。如今既蒙莫大深恩，给还财产，你又何必多此一奏？』众官也说不必。（圣恩、天恩，这是必须写的。写到圣威、天威的时候也不能忘记写恩。否则，作者就有对今上心怀不满之嫌。）

贾政便谢了恩，叩谢了王爷出来，恐贾母不放心，急忙赶回。上下男女人等不知传进贾政是何吉凶，都在外头打听，一见贾政回家，都略略的放心，也不敢问。只见贾政忙忙的走到贾母跟前，将蒙圣恩宽免的事细细告诉了一遍。贾母虽则放心，只是两个世职革去，贾赦又往台站效力，贾珍又往海疆，不免又悲伤起来。邢夫人尤氏听见那话，更哭起来。贾政便道：『老太太放心。大哥虽则台站效力，也是为国家办事，不致受苦，只要办得妥当，就可复职。珍儿正是年轻，很该出力。若不是这样，便是祖父的余德亦不能久享。』说了些宽慰的话。

贾母素来本不大喜欢贾赦，那边东府贾珍究竟隔了一层，只有邢夫人尤氏痛哭不已。（这种交代不但重复，而且有伤。）邢夫人想着：『家产一空，丈夫年老远出，膝下虽有琏儿，又是素来顺他二叔的，如今是都靠着二叔，他两口子更是顺着那边去了。独我一人孤苦伶仃，怎么好？』那尤氏本来独掌宁府的家计，除了贾珍，也算是惟他为尊，又与贾珍夫妻相和，（与贾珍相和吗？不再犯『心疼』的旧疾了吗？）如今犯事远出，家财抄尽，依住荣府，虽则老太太疼爱，终是依人门下。又带了偕鸾佩凤，蓉儿夫妇又是不能兴家立业的人。又想着：『二妹妹三妹妹俱是琏二叔闹的，如今他们倒安然无事，依旧夫妻完聚，只留我们几人，怎生度日？』想到这里，痛哭起来。（共哭一个大坟头。各哭各的坟头。）

贾母不忍，便问贾政道：『你大哥和珍儿现已定案，可能回家？蓉儿既没他的事，也该放出来了。』贾政道：『若在定例，大哥是不能回家的。我已托人徇个私情，叫我们大老爷同着侄儿回家，好置办行装，衙门内业已应了。想来蓉儿同着他爷爷父亲一起出来。只请老太太放心，儿子办去。』（既有定例又有私情。辩证灵活，奥妙无穷。）贾母又道：『我这几年老的不成人了，总没有问过家事。如今东府是全抄了去了，房屋入官不消说的，你大哥那边，琏儿那里，也都抄去了。咱们西府银库东省地土，你知道到底还剩了多少？他两个起身，也得给他们几千银子才好。』贾政正是没法，听见贾母一问，心想着：『若是说明，又恐老太太着急；若不说明，不用说将来，现在怎样办法？』定了主意，便回道：『若老太太不问，儿子也不敢说。如今老太太既问到这里，现在琏儿也在这里，昨日儿子已查了：旧库的银子早已虚空，不但用尽，外头还有亏空。现今大哥这件事，若不花银托人，虽说主上

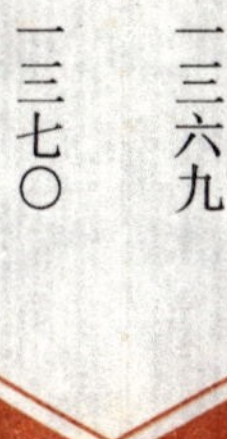

宽恩，只怕他们爷儿两个也不大好，就是这项银子尚无打算。（不花银不行。花银与天恩相结合，才好办事。）东省的地亩，早已寅年吃了卯年的租儿了，一时也算不转来，只好尽所有蒙圣恩没有动的衣服首饰折变了，给大哥珍儿作盘费罢了。过日的事只可再打算。』（这些交代对于读者已是车轱辘话了。）贾母听了，又急得眼泪直淌，说道：『怎样着？咱们家到了这样田地了么？我虽没有经过，我想起我家向日比这里还强十倍，也是摆了几年虚架子，没有出这样事，已经塌下来了，不消一二年就完了。据你说起来，咱们竟一两年就不能支了？』（自朽、自空、自垮，然后才招来了灾祸的决定性一击。）贾政道：『若是这两个世俸不动，外头还有些挪移；如今无可指称，谁肯接济？』说着，也泪流满面，『想起亲戚来，用过我们的，如今都穷了；没有用过我们的，又不肯照应了。昨日儿子也没有细查，只看家下的人丁册子，别说上头的钱一无所出，那底下的人也养不起许多。』

贾母正在忧虑，只见贾赦、贾珍、贾蓉一齐进来给贾母请安。贾母看这般光景，一只手拉着贾赦，一只手拉着贾珍，便大哭起来。他两人脸上羞惭，又见贾母哭泣，都跪在地下哭着说道：『儿孙们不长进，将祖上功勋丢了，又累老太太伤心，儿孙们是死无葬身之地的了。』（也只是空话套话。哪有一句触及灵魂的深刻反省？）满屋中人看这光景，又一齐大哭起来。贾政只得劝解：『倒先要打算他两个的使用。大约在家只可住得一两日，迟则人家就不依了。』老太太含悲忍泪的说道：『你两个且各自同你们媳妇们说说话儿去罢。』（居然能照顾到这一点，难能可贵。）又吩咐贾政道：『这件事是不能久待的，想来外面挪移，恐不中用。那时误了钦限，怎么好？只好我替你们打算罢了。就是家中如此乱糟糟的，也不是常法儿。』一面说着，便叫鸳鸯吩咐去了。

这里贾赦等出来，又与贾政哭泣了一会，都不免将从前任性、过后恼悔、如今分离的话说了一会，各自同媳妇那边悲伤去了。（任性、懊恼、分离，这个总结倒很凝练。）贾赦年老，倒也抛的下；（到这时候，不再张罗讨妾了。）独有贾珍与尤氏怎忍分离？贾琏贾蓉两个也只有拉着父亲啼哭。（平时一个个像乌眼鸡似的，出了事一个个又像蜜里调油似的。）虽说是比军流减等，究竟生离死别。这也是事到如此，只得大家硬着心肠过去。

却说贾母叫邢王二夫人同了鸳鸯等开箱倒笼，将做媳妇到如今积攒的东西都拿出来，又叫贾赦、贾政、贾珍等一一的分派说：『这里现有的银子交贾赦三千两，你拿二千两去做你的盘费使用，留一千给大太太零用。这三千给珍儿，你只许拿一千去，留下二千交你媳妇过日子。仍旧各自度日，房子是在一处，饭食各自吃罢。（分灶吃饭。）四丫头将来的亲事，还是我的事。只可怜凤丫头操心了一辈子，如今弄的精光，也给他三千两，叫他自己收着，不许叫琏儿用。如今他还病得神昏气短，叫平儿来拿去。这是你祖父留下的衣服，还有我少年穿的衣服首饰，如今我用不着。男的呢，叫大老爷、珍儿、琏儿、蓉儿拿去分了。女的呢，叫大太太、珍儿媳妇、凤丫头拿了分去。这五百两银子交给琏儿，明年将林丫头的棺材送回南去。』（统筹兼顾，妥善安排。安排活人，兼顾死者。）分派定了，又叫贾政道：『你说现在还该着人的使用，这是少不得的，你叫拿这金子变卖偿还。这是他们闹掉了我的，你也是我的儿子，我并不偏向。宝玉已经成了家，我剩下这些金银等物，大约还值几千两银子，这是都给宝玉的了。珠儿媳妇向来孝顺我，兰儿也好，我也分给他们些。这便是我的事情完了。』（平常是太上皇，乱了就当秘书长。贾母真有两下子！贾府再没有第二个人了。大厦将倾，已倾，谁来支撑一番？谁能且战且退？谁能断后、安抚……只有贾母。）

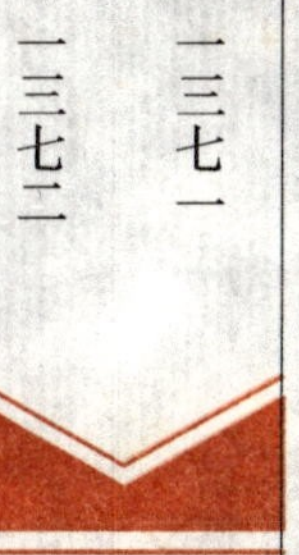

贾政见母亲如此明断分晰，俱跪下哭着说：『老太太这么大年纪，儿孙们没点孝顺，承受老祖宗这样恩典，叫儿孙们更无地自容了！』（人伦道德情感与自然亲子情感相结合，分外感人。）贾母道：『别瞎说，若不闹出这个乱儿，我还收着呢。只是现在家人过多，只有二老爷是当差的，留几个人就够了。你就吩咐管事的，将人叫齐了，分派妥当。各家有人便就罢了。譬如一抄尽了，怎么样呢？我们里头的，也要叫人分派，该配人的配人，赏去的赏去。如今虽说咱们这房子不入官，你到底把这园子交了才好。（『交了才好』！贾母此言大智，大悟，响彻云霄。）那些田地原交琏儿清理，该卖的卖，该留的留，断不要支架子，做空头。我索性说了罢：江南甄家还有几两银子，二太太那里收着，该叫人就送去罢。倘或再有点事出来，可不是他们『躲过了风暴又遇了雨』了么。』（甄家有事，求贾家。贾家不能自保，又求谁去？）贾政本是不知当家立计的人，一听贾母的话，一一领命，心想：『老太太实在真真是理家的人，都是我们这些不长进的闹坏了。』

贾政见贾母劳乏，求着老太太歇歇养神。贾母又道：『我所剩的东西也有限，等我死了，做结果我的使用。余的都给我伏侍的丫头。』贾政等听到这里，更加伤感，大家跪下：『请老太太宽怀。只愿儿子们托老太太的福，过了些时，都邀了恩眷，那时兢兢业业的治起家来，以赎前愆，奉养老太太到一百岁的时候。』贾母道：『但愿这样才好，我死了也好见祖宗。你们别打量我是享得富贵受不得贫穷的人哪，不过这几年看着你们轰轰烈烈，我落得都不管，说说笑笑，养身子罢了。那知道家运一败，直到这样！若说外头好看，里头空虚，是我早知道的了。只是『居移气，养移体』，一时下不得台来。（享福受穷，金玉良言。人之将死，其言也善。）如今借此正好收敛，守住这个门头，不然，叫人笑话你。你还不知，只打量我知道穷了，就着急的要死。我心里是想着祖宗莫大的功勋，无一日不指望你们比祖宗还强，能够守住也就罢了。谁知他们爷儿两个做些什么勾当。」（能屈能伸，能奢能俭。贾母真大场面来的人物也。宰相肚子里能撑船。越是这时候，越不能狗肚鸡肠，抠抠缩缩。）

贾母正自长篇大论的说，只见丰儿慌慌张张的跑来回王夫人道：「今早我们奶奶听见外头的事，哭了一场，如今气都接不上来，平儿叫我来回太太。」丰儿没有说完，贾母听见，便问：「到底怎么样？」王夫人便代回道：「如今说是不大好。」贾母起身道：「嗳，这些冤家，竟要磨死我了！」说着，叫人扶着，要亲自看去。贾政急忙拦住，劝道：「老太太伤了好一回的心，又分派了好些事，这会该歇歇。便是孙子媳妇有什么事，该叫媳妇瞧去就是了，何必老太太亲身过去呢？倘或再伤感起来，老太太身上要有一点儿不好，叫做儿子的怎么处呢。」贾母道：「你们各自出去，等一会子再进来，我还有话说。」贾政不敢多言，只得出来料理兄侄起身的事，又叫贾琏挑人跟去。

这里贾母才叫鸳鸯等派人拿了给凤姐的东西，跟着过来。凤姐正在气厥。平儿哭得眼红，听见贾母带着王夫人宝玉宝钗过来，疾忙出来迎接。贾母便问：「这会子怎么样了？」平儿恐惊了贾母，便说：「这会子好些。老太太既来了，请进去瞧瞧。」他先跑进去，轻轻的揭开帐子。凤姐开眼瞧着，只见贾母进来，满心惭愧。先前原打算贾母等恼他，不疼他了，是死活由他的，不料贾母亲自来瞧，心里一宽，觉那拥塞的气略松动些，便要扎挣坐起。（人是何等可怜的动物！都什么时候了，还怕失宠呢！）贾母叫平儿按着：「不要动。你好些么？」凤姐含泪道：「我从小儿过来，老太太、太太怎么样疼我。那知我福气薄，叫神鬼支使的失魂落魄，不但不能够在老太太跟前尽点孝心，公婆前讨个好。还是这样把我当人，叫我帮着料理家务，被我闹的七颠八倒，我还有什么脸儿见老太太、太太呢？今日老太太、太太亲自过来，我更当不起了，恐怕该活三天的又折上了两天去了。」说着悲咽。贾母道：「那些事原是外头闹起来的，与你什么相干？就是你的东西被人拿去，这也算不了什么呀！我带了好些东西给你，任你自便。」说着，叫人拿上来给他瞧瞧。凤姐本是贪得无厌的人，如今被抄净尽，本是愁苦，又恐人埋怨，正是几不欲生的时候。今儿贾母仍旧疼他，王夫人也不嗔怪，过来安慰他，又想贾琏无事，心下安放好些。便在枕上与贾母磕头，说道：「请老太太放心。若是我的病托着老太太的福好了些，我情愿自己当个粗使丫头，尽心竭力的伏侍老太太、太太罢。」（感情一激动，说出的话都那么善良美好天真无瑕……当真做起事来，又那么自私凶恶狡诈贪婪……这是什么样的「国民性」呀！）贾母听他说得伤心，不免掉下泪来。宝玉是从来没有经过这大风浪的，心下只知安乐，不知忧患的人，如今碰来碰去都是哭泣的事，所以他竟比傻子尤甚，见人哭他就哭。（宝玉素常是超脱的，反叛的，这时的反应「见人哭他就哭」，未免太从俗了。）

即使贾母已知凤姐责任，已对凤姐怀疑不满，也不能在这个时候显露出来。他们的首要问题不是追究责任，重组队伍，而是同舟共济，渡过难关。难关渡过了，再赏罚、换人不迟。设想一下，如果贾母也来追究凤姐责任，只能使窝里斗的形势更加凶险恶化，使整个状况更加混乱不堪。

凤姐看见众人忧闷，反倒勉强说几句宽慰贾母的话，求着：「请老太太、太太回去，我略好些，过来磕头。」说着，将头仰起。贾母叫平儿：「好生服侍。短什么，到我那里要去。」说着，带了王夫人将要回到自己房中，只听见两三处哭声。贾母实在不忍闻，便叫王夫人散去，叫宝玉：『去见你大爷大哥，送一送就回来。』自己躺在榻上下泪。（贾母自己并非不悲，但还要负担起安慰帮助各方的责任。）幸喜鸳鸯等能用百样言语劝解，贾母暂且安歇。

此前的贾母，一直是一个会享福，专门享福的老太太。恰恰在抄家的大考验中，表现出贾母的另一面：也会『度灾』。她周到，大气，不怨天尤人，不惊慌失措，不迁怒旁人，所言，所行，所思，老练，诚恳，全面。她不愧是见过世面的有经验的『老祖宗』，她表现了『帅才』。儿孙辈能不愧死！在后四十回，性格大大焕发了光彩的是贾母。

不言贾赦等分离悲痛。那些跟去的人，谁是愿意的？不免心中抱怨，叫苦连天。正是生离死别，看者比受者更加伤心。好好的一个荣国府，闹到人嚎鬼哭。贾政最循规矩，在伦常上也讲究的，执手分别后，自己先骑马赶至城外，举酒送行，又叮咛了好些『国家轸恤勋臣，力图报称』的话。（贾政只有空话套话，哪有贾母的实在处置？）贾赦等挥泪分头而别。

贾政带了宝玉回家，未及进门，只见门上有好些人在那里乱嚷，说：『今日旨意：将荣国公世职着贾政承袭。』（刚刚革去，立即恢复，太快了，其中有『红』临终匆匆草草的因素。）那些人在那里要喜钱，门上人和他们分争，说：『是本来的世职，我们本家袭了，有什么喜报？』那些人说道：『那世职的荣耀，比任什么还难得！你们大老爷闹掉了，想要这个，再不能的了。如今的圣人在位，赦过宥罪，还赏给二老爷袭了，这是千载难逢的，怎么不给喜钱？』正闹着，贾政回家，门上回了，虽则喜欢，究竟是哥哥犯事所致，反觉感极涕零，赶着进内告诉贾母。王夫人正恐贾母伤心，过来安慰，听得世职复还，自是欢喜。（猴戏乎？儿戏乎？小儿科乎？翻烙饼穷折腾乎？可喜可贺乎？可笑可厌乎？）又见贾政进

王蒙评点

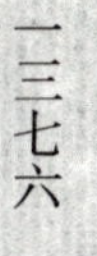

来，贾母拉了，说些勤黾报恩的话。独有邢夫人尤氏心下悲苦，只不好露出来。（『主上』的心思也与贾母相仿，厌赦喜政。）

复世职云云，不论作者动机如何忠良，阅读效果则几是反讽。简直是闹剧，丑剧。圣意翻覆，群小起哄，一点严肃性都没有了。

且说外面这些趋炎奉势的亲戚朋友，先前贾宅有事，都远避不来；今儿贾政袭职，知圣眷尚好，大家都来贺喜。那知贾政纯厚性成，因他袭哥哥的职，心内反生烦恼，只知感激天恩。于第二日进内谢恩，到底将赏还府第园子，备折奏请入官。内廷降旨不必，贾政才得放心回家，以后循分供职。

但是家计萧条，入不敷出。贾政又不能在外应酬。家人们见贾政忠厚，凤姐抱病不能理家，贾琏的亏缺一日重似一日，难免典房卖地。府内家人，几个有钱的，怕贾琏缠扰，都装穷躲事，甚至告假不来，各自另寻门路。（世态如此，不应抱任何幻想。）独有一个包勇，虽是新投到此，恰遇荣府坏事，他倒有些真心办事，见那些人欺瞒主子，便时常不忿。奈他是个新来乍到的人，一句话也插不上，他便生气，每天吃了就睡。众人嫌他不肯随和，便在贾政前说他终日贪杯生事，并不当差。贾政道：『随他去罢。原是甄府荐来，不好意思。横竖家内添这一人吃饭，虽说是穷，也不在他一人身上。』并不叫来驱逐。（没有忠奴，显不出刁奴来，而贾家生态，已无出现忠奴的可能，只得从甄府引进一名。）众人又在贾琏跟前说他怎么样不好，贾琏也不敢自作威福，只得由他。

包勇形象，可起一个反衬作用。正好用来衬托众家人的宵小状态。反过来说，包勇自己的表现，反而没有什么必然性、逻辑依据。读之令人觉得莫名其妙。

忽一日，包勇耐不过，吃了几杯酒，在荣府街上闲逛，见有两个人说话。那人说道：『你瞧，这么个大府，

前儿抄了家，不知如今怎么样了？』那人道：『他家怎么能败？听见说，里头有位娘娘是他家的姑娘，虽是死了，到底有根基的。况且我常见他们来往的都是王公侯伯，那里没有照应？便是现在的府尹，前任的兵部，是他们的一家。难道有这些人还护庇不来么？』那人道：『你白住在这里！别人犹可，独是那个贾大人更了不得！我常见他在两府来往，前儿御史虽参了，主子还叫府尹查明实迹再办。你道他怎么样？他本沾过两府的好处，怕人说他回护一家，他便狠狠的踢了一脚，所以两府里才到底抄了。（怎样踢的就不说了。遍地都有贾雨村。不足为奇，不足为恨。）你道如今的世情还了得吗！』两人无心说闲话，岂知旁边有人跟着听的明白。包勇心下暗想：『天下有这样负恩的人！但不知是我老爷的什么人？我若见了他，便打他一个死，闹出事来，我承当去！』那包勇正在酒后胡思乱想，忽听那边喝道而来。包勇远远站着，只见那两人轻轻的说道：『这来的就是那个贾大人了。』包勇听了，心里怀恨，趁了酒兴，便大声的道：『没良心的男女！怎么忘了我们贾家的恩了？』雨村在轿内听得一个『贾』字，便留神观看，见是一个醉汉，便不理会，过去了。

那包勇醉着，不知好歹，便得意洋洋回到府中，问起同伴，知是方才见的那位大人是这府里提拔起来的，『他不念旧恩，反来踢弄咱们家里，见了他骂他几句，他竟不敢答言。』那荣府的人本嫌包勇，只是主人不计较他，如今他又在外闯祸，不得不回，趁着贾政无事，便将包勇喝酒闹事的话回了。贾政此时正怕风波，听得家人回禀，便一时生气，叫进包勇骂了几句，便派去看园，不许他在外行走。那包勇本是直爽的脾气，投了主子，他便赤心护主，岂知贾政反倒责骂他。他也不敢再辩，只得收拾行李，往园中看守浇灌去了。未知后事如何，下回分解。

贾母明大义是烈火见真金。政老沐天恩则近于脱裤子放屁。要写败落，要写悲剧，又不忍不敢一味悲下去，一味悲下去，就涉嫌不满朝廷、不满世道了。所以作者要一次一次地砸烂『红』的美梦，尽写被砸烂后的惊状哭状惧状惨状，又要虚晃一枪，给点空头『光明的尾巴』。续尾——哪怕是续貂的狗尾——也有不得已处。笼统据说什么是续作者思想观念不如雪芹激进所致，一则未必，二则是站着说话不腰疼。

当年台湾的『代表』被联合国驱逐的时候，其领导人提出要『处变不惊，庄敬自强』，『红』中的贾母庶几做到这八个字。

第一百八回　强欢笑蘅芜庆生辰　死缠绵潇湘闻鬼哭

却说贾政先前曾将房产并大观园奏请入官，内廷不收，又无人居住，只好封锁。因园子接连尤氏惜春住宅，太觉旷阔无人，遂将包勇罚看荒园。此时贾政理家，又奉了贾母之命，将人口渐次减少，诸凡省俭，尚且不能支持。幸喜凤姐为贾母痛惜，王夫人等虽则不大喜欢，若说治家办事，尚能出力，所以将内事仍交凤姐办理。（如说凤姐不好，王夫人能没有责任吗？）但近来因被抄以后，诸事运用不来，也是每形拮据。那些房头上下人等，原是宽裕惯的，如今较之往日十去其七，怎能周到？不免怨言不绝。凤姐也不敢推辞，扶病承欢贾母。（凤姐也与黛玉一样，要死也不是一下子死得了的，还要有一点起伏曲折。）过了些时，贾赦贾珍各到当差地方，恃有用度，暂且自安。写书回家，都言安逸，家中不必挂念。于是贾母放心，邢夫人尤氏也略略宽怀。

一日，史湘云出嫁回门，来贾母这边请安。贾母提起他女婿甚好，史湘云也将那里过日平安的话说了，请老太太放心。又提起黛玉去世，不免大家落泪。贾母又想起迎春苦楚，越觉悲伤起来。（这个刚放点心，那个复又挂心。此泪才干，彼泪又落。善享福且又胸怀宽阔如贾母者，也是没有办法。）史湘云解劝一回，又到各家请安问好毕，仍到贾母房中安歇。言及薛家这样人家，被薛大哥闹的家破人亡，今年虽是缓决人犯，明年不知可能减等。贾母道：『你还不知道呢，昨儿蟠儿媳妇死的不明白，几乎又闹出一场事来。还幸亏老佛爷有眼，叫他带来的丫头自己供出来了，那夏奶奶才没的闹了，自家拦住相验。你姨妈这里才将裹肉的打发出去了。你说说，真真是「六亲同运」。薛家是这样了，姨太太守着薛蝌过日。为这孩子有良心，他说哥哥在监里尚未结局，不肯娶亲。你邢妹妹在大太太那边，也就很苦。琴姑娘为他公公死了尚未满服，梅家尚未娶去。（什么叫气数已尽？各种矛盾都发展到了火候了，说声没救就没救了，癌细胞扩散，癌症已到了晚期了。）二太太的娘家舅太爷一死，凤丫头的哥哥也不成人，那二舅太爷也是个小气的，又是官项不清，也是打饥荒。甄家自从抄家以后，别无信息。』（到处呈飘零萎落。）湘云道：『三姐姐去了，曾有书字回来么？』贾母道：『自从嫁了去，二老爷回来说，你三姐姐在海疆甚好。只是没有书信，我也日夜惦记。为着我们家连连的出些不好事，所以我也顾不来。如今四丫头也没有给他提亲。环儿呢，谁有功夫提起他来？如今我们家的日子比你从前在这里的时候更苦些。只可怜你宝姐姐，自过了门，没过一天安逸日子。你二哥哥还是这样疯疯颠颠，这怎么处呢？』湘云道：『我从小儿在这里长大的，这里那些人的脾气，我都知道的。这一回来了，竟都改了样子了。我打量我隔了好些时没来，他们生疏我；我细想起来，竟不是的。就是见了我，瞧他们

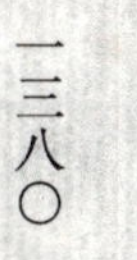

的意思，原要像先前一样的热闹，不知道怎么说说就伤心起来了。我所以坐坐就到老太太这里来了。』（原先的热闹，岂能一厢情愿地恢复得起来？）贾母道：『如今这样日子，在我也罢了；你们年轻轻儿的人，还了得！我正要想个法儿，叫他们还热闹一天才好。只是打不起这个精神来。』湘云道：『我想起来了，宝姐姐不是后日的生日吗？我多住一天，给他拜过寿，大家热闹一天。不知老太太怎么样？』贾母道：『我真正气糊涂了。你不提，我竟忘了。后日可不是他的生日，我明日拿出钱来，给他办个生日。（抄家、破败之中，也还要活下去，小说也还要发展下去，便打起精神，再过一回生日。）他没有定亲的时候，倒做过好几次，如今他过了门，倒没有做。宝玉这孩子，头里很伶俐，很淘气；如今为着家里的事不好，把这孩子越发弄的话都没有了。倒是珠儿媳妇还好。他有的时候是这么着，没的时候他也是这么着，带着兰儿静静的儿过日子，倒难为他。』湘云道：『别人还不离，独有琏二嫂子，连模样儿都改了，说话也不伶俐了。明日等我来引逗他们，看他们怎么样。（今非昔比，沧桑一瞬间。）但是他们嘴里不说，心里要抱怨我，说我有了……』湘云说到那里，却把脸飞红了。贾母会意道：『这怕什么？原来姊妹们都是在一处乐惯了的，说说笑笑，再别留这些心。大凡一个人，有也罢，没也罢，总要受得富贵，耐得贫贱才好。你宝姐姐生来是个大方的人。头里他家这样好，他也一点儿不骄傲；后来他家坏了事，他也是舒舒坦坦的。如今在我家里，宝玉待他好，他也是那样安顿；一时待他不好，不见他有什么烦恼。我看这孩子倒是个有福气的。你林姐姐，那是个最小性儿，又多心的，所以到底不长命。凤丫头也见过些事，很不该略见些风波就改了样子。他若这样没见识，也就是小器了。后儿宝丫头的生日，我替另拿出银子来，热热闹闹给他做个生日，也叫他喜欢这一天。』（贾母大气。不要以为

（有了银子就能热闹。人的因素呢？）湘云答应道：『老太太说得很是。索性把那些姐妹们都请来了，大家叙一叙。』贾母道：『自然要请的。』一时高兴道：『叫鸳鸯拿出一百银子来，交给外头，叫他明日起，预备两天的酒饭。』鸳鸯领命，叫婆子交了出去。一宿无话。

贾母对凤姐的批评，又对又不对。『小器』云云，不无道理。前面已反复交代她的贪财。但她管的事多，结的怨多，捅的娄子多，面临的压力要大得多。不仅邢夫人，而且贾琏、王夫人都在渐渐地嫌她——她已预见到自己的天怒人怨、孤家寡人的下场，乃至有成为整个贾家没落的替罪羊的可能。贾母对她偏爱、宽大，却不可能设身处地地理解她的处境。

次日，传话出去，打发人去接迎春。又请了薛姨妈宝琴，叫带了香菱来。又请李婶娘，不多半日，李纹李绮都来了。（这个阵容便像残兵败将了。）宝钗本没有知道，听见老太太的丫头来请，说：『薛姨太太来了，请二奶奶过去呢。』宝钗心里喜欢，便是随身衣服过去，要见他母亲。只见他妹子宝琴并香菱都在这里，又见李婶娘等人也都来了。心想那些人必是知道我们家的事情完了，所以来问候的，便去问了李婶娘好，见了贾母，然后与他母亲说了几句话，便与李家姐妹们问好。湘云在旁说道：『太太们请都坐下，让我们姐妹们给姐姐拜寿。』宝钗听了，倒呆了一呆，回来一想，『可不是明日是我的生日吗？』便说：『妹妹们过来瞧老太太是该的，若说为我的生日，是断断不敢的。』正推让着，宝玉也来请薛姨妈李婶娘的安。听见宝钗自己推让，他心里本早打算过宝钗生日，因家中闹得七颠八倒，也不敢在贾母处提起。今见湘云等众人要拜寿，便喜欢道：『明日才是生日，我正要告诉老太太来。』湘云笑道：『扯臊！老太太还等你告诉？你打谅这些人为什么来，是老太太请的。』宝钗听了，心下未信，只听贾母合他母亲道：『可

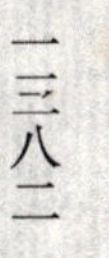

怜宝丫头做了一年新媳妇，家里接二连三的有事，总没有给他做过生日。今日我给他做个生日，请姨太太、太太们来，大家说说话儿。』薛姨妈道：『老太太这些时心里才安，他小人儿家，还没有孝敬老太太，倒要老太太操心。』湘云道：『老太太最疼的孙子是二哥哥，难道二嫂子就不疼了么？况且宝姐姐也配老太太给他做生日。』宝钗低头不语。宝玉心里想道：『我只说史妹妹出了阁是换了一个人了，我所以不敢亲近他，他也不来理我；如今听他的话，原是和先前一样的。为什么我们那个过了门，（已经『我们那个』了，终于认同了吗？）更觉得腼腆了，话都说不出来了呢？』正想着，小丫头进来说：『二姑奶奶回来了。』随后李纨凤姐都进来，大家厮见一番。

迎春提起他父亲出门，说：『本要赶来见见，只是他拦着不许来，说是咱们家正是晦气时候，不要沾染其身上。我扭不过，没有来，直哭了两三天。』凤姐道：『今儿为什么肯放你回来？』迎春道：『他又说咱们家二老爷又袭了职，还可以走走，不妨事的，所以才放我来。』（丑类形象，画成漫画别人都会认为是作者夸张失度。实际生活中的丑类，比漫画中的丑类还要『夸张失度』！）说着又哭起来。贾母道：『我原为气得慌，今日接你们来给孙子媳妇过生日，说说笑笑，解个闷儿，你们又提起这些烦事来，又招起我的烦恼来了。』迎春等都不敢作声了。

贾母认为不提烦事就可以不烦恼，这种闭眼战略、鸵鸟战术、阿Q精神倒也值得注意。

凤姐虽勉强说了几句有兴的话，终不似先前爽利，招人发笑。贾母心里要宝钗喜欢，故意的怄凤姐儿说话。凤姐也知贾母之意，便竭力张罗，说道：『今儿老太太喜欢些了。你看这些人好几时没有聚在一处，今儿齐全。』说着，回过头去，看见婆婆、尤氏不在这里，又缩住了口。（处处都有忌讳，处处都有埋伏。家道如此，奈凤姐何？）贾母

为着『齐全』两字，也想邢夫人等，叫人请去。邢夫人、尤氏、惜春等听见老太太叫，不敢不来，心内也十分不愿意，想着家业零败，偏又高兴给宝钗做生日，到底老太太偏心，便来了也是无精打彩的。（一起哭，尚能同心。一起笑，必有偏心。）贾母问起岫烟来，邢夫人假说病着不来。贾母会意，知薛姨妈在这里有些不便，也不提了。

一时，摆下果酒。贾母说：『也不送到外头，今日只许咱们娘儿们乐一乐。』宝玉虽然娶过亲的人，因贾母疼爱，仍在里头打混，但不与湘云宝琴等同席，便在贾母身旁设着一个坐儿，他替宝钗轮流敬酒。贾母道：『如今且坐下，大家喝酒。到挨晚儿再到各处行礼去。若如今行起来了，大家又闹规矩，把我的兴头打回去，就没趣了。』宝钗便依言坐下。贾母又叫众人来道：『咱们今儿索性洒脱些，各留一两个人伺候。我叫鸳鸯带了彩云、莺儿、袭人、平儿等在后间去也喝一钟酒。』鸳鸯等说：『我们还没有给二奶奶磕头，怎么就好喝酒去呢？』贾母道：『我说了，你们只管去。用的着你们再来。』鸳鸯等去了。

这里贾母才让薛姨妈等喝酒。见他们都不是往常的样子，贾母着急道：『你们到底是怎么着？大家高兴些才好。』（抄家后贾母表现甚佳，但此事办得主观主义、唯意志论。你总应该多收缩收缩，『蔫忍』一阵子，何强为欢笑！）湘云道：『我们又吃又喝，还要怎样？』凤姐道：『他们小的时候儿都高兴，如今碍着脸不敢混说，所以老太太瞧着冷净了。』宝玉轻轻的告诉贾母道：『话是没有什么说的，再说就说到不好的上头来了。不如老太太出个主意，叫他们行个令儿罢。』（宝玉何尝呆傻？）贾母侧着耳朵听了，笑道：『若是行令，又得叫鸳鸯去。』宝玉听了，不待再说，就出席到后间去找鸳鸯，说：『老太太要行令，叫姐姐去呢。』鸳鸯道：『小爷，让我们舒舒服服的喝一钟罢。何苦来，又来搅什么？』宝玉道：『当真老太太说得，叫你去呢。与我什么相干？』鸳鸯没法，说道：『你们只管喝，我去了就来。』便到贾母那边。（前两回写哭，很惨。这一回写「强欢笑」，欲欢笑而不能，终成苦笑，其惨状比哭有过而无不及。如果演话剧，这一场一定十分动人。）

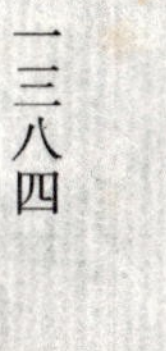

老太太道：『你来了，不是要行令吗！』鸳鸯道：『听见宝二爷说老太太叫我，敢不来吗。不知老太太要行什么令儿？』贾母道：『那文的怪闷的慌，武的又不好，你倒是想个新鲜玩意儿才好。』鸳鸯想了想道：『如今姨太太有了年纪，不肯费心，倒不如拿出令盆骰子来，大家掷个曲牌名儿赌输赢酒罢。』（遥想『金鸳鸯三宣牙牌令』，而今非昔比矣。悲夫！）贾母道：『这也使得。』便命人取骰盆放在桌上。鸳鸯说：『如今用四个骰子掷去，掷不出名儿来的罚一杯，掷出名儿来，每人喝酒的杯数儿，掷出来再定。』众人听了道：『这是容易的，我们都随着。』鸳鸯便打点儿，众人叫鸳鸯喝了一杯，就在他身上数起，恰是薛姨妈先掷。薛姨妈便掷了一下，却是四个『么』。鸳鸯道：『这是有名的，叫做「商山四皓」。有年纪的喝一杯。』于是贾母、李婶娘、邢、王两夫人都该喝。贾母举酒要喝，鸳鸯道：『这是姨太太掷的，还该姨太太说个曲牌名儿，下家儿接一句《千家诗》。说不出的罚一杯。』薛姨妈道：『你又来算计我了，我那里说得上来？』贾母道：『不说到底寂寞，还是说一句的好。下家儿就是我了，若说不出来，我陪姨太太喝一钟就是了。』薛姨妈便道：『我说个「临老入花丛」。』贾母点点头儿道：『「将谓偷闲学少年」。』（连结得好。凭空组合，文字游戏，却也能带来某种意味。）

说完，骰盆过到李纹，便掷了两个『四』，两个『二』。鸳鸯说：『也有名了，这叫作「刘阮入天台」。』

李纹便接着说了个『二士入桃源』。下手儿便是李纨，说道：『「寻得桃源好避秦」。』大家又喝了一口。

骰盆又过到贾母跟前，便掷了两个『二』，两个『三』。贾母道：『这要喝酒了。』鸳鸯道：『有名儿的，这是「江燕引雏」。众人都该喝一杯。』凤姐道：『雏是雏，倒飞了好些了。』众人瞅了他一眼，凤姐便不言语。（本想说句玩话，却又碰到了伤疤。）贾母道：『我说什么呢？「公领孙」罢。』下手是李绮，便说道：『「闲看儿童捉柳花」。』众人都说好。

宝玉巴不得要说，只是令盆轮不到，正想着，恰好到了跟前，便掷了一个『二』，两个『三』，一个『么』，便说道：『这是什么？』鸳鸯笑道：『这是个「臭」！先喝一杯再掷罢。』宝玉只得喝了又掷。这一掷掷了两个『三』，两个『四』。鸳鸯道：『有了，这叫做「张敞画眉」。』宝玉明白打趣他。宝钗的脸也飞红了。凤姐不大懂得，还说：『二兄弟快说了，再找下家儿是谁。』宝玉明知难说，自认：『罚了罢。我也没下家。』

过了令盆，轮到李纨，便掷了一下儿。鸳鸯道：『大奶奶掷得是「十二金钗」。』宝玉听了，赶到李纨身旁看时，只见红绿对开，便说：『这一个好看的很！』忽然想起『十二钗』的梦来，便呆呆的退到自己座上，心里想：『这「十二钗」说是金陵的，怎么我家这些人，如今七大八小的就剩了这几个？』复又看看湘云宝钗，虽说都在，只是不见了黛玉。一时按捺不住，眼泪便要下来，恐人看见，便说身上燥的很，脱脱衣服去，挂了筹，出席去了。（实实的行酒令、庆生辰、强欢笑中，倏地过渡到宝玉当年的神秘旧梦上去了。此笔真生花也。）这史湘云看见宝玉这般光景，打谅宝玉掷不出好的，被别人掷了去，心里不喜欢，便去了；又嫌那个令儿没趣，便有些烦。只见李纨道：『我不说了。席间的人也不齐，不如罚我一杯。』贾母道：『这个令儿也不热闹，（不是令儿不热闹，是心儿热不起来。心儿正是透心凉呢。）不如蠲了罢。让鸳鸯掷一下，看掷出个什么来。』

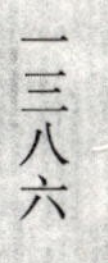

小丫头便把令盆放在鸳鸯跟前。鸳鸯依命，便掷了两个『二』，一个『五』，那一个骰子在盆中只管转。鸳鸯叫道：『不要「五」！』那骰子单单转出一个『五』来。鸳鸯道：『了不得！我输了。』贾母道：『这是不算什么的吗？』鸳鸯道：『名儿倒有，只是我说不上曲牌名来。』贾母道：『你说名儿，我给你诌。』鸳鸯道：『这是「浪扫浮萍」。』贾母道：『这也不难，我替你说个「秋鱼入菱窠」。』鸳鸯下手的就是湘云，便道：『「白萍吟尽楚江秋」。』（浪扫浮萍，白萍吟尽楚江秋，萧索落漠之至也。）众人都道：『这句很确。』

贾母道：『这令完了，咱们喝两杯，吃饭罢。』回头一看，见宝玉还没进来，便问道：『宝玉那里去了？还不来。』鸳鸯道：『换衣服去了。』贾母道：『谁跟了去的？』那莺儿便上来回道：『我看见二爷出去，我叫袭人姐姐跟了去了。』贾母王夫人才放心。等了一回，王夫人叫人去找来。小丫头子到了新房，只见五儿在那里插蜡。小丫头便问：『宝二爷那里去了？』五儿道：『在老太太那边喝酒呢。』小丫头道：『我在老太太那里，太太叫我来找的，岂有在那里倒叫我来找的理？』五儿道：『这就不知道了，你到别处找去罢。』小丫头没法，只得回来，遇见秋纹，问道：『你见二爷那里去了？』秋纹道：『我也找他，太太们等他吃饭。这会子那里去了呢？你快去回老太太去，不必说不在家，只说喝了酒不大受用，不吃饭了，略躺一躺再来，请老太太、太太们吃饭罢。』小丫头依言回去，告诉珍珠，珍珠依言回了贾母。贾母道：『他本来吃不多，不吃也罢了，叫他歇歇罢。告诉他今儿不必过来，有他媳妇在这里。」珍珠便向小丫头道：「你听见了？」小丫头答应着，不便说明，只得在别处转了一转，说：「告诉了。」众人也不理会，便吃毕饭，大家散坐说话，不提。（此节酷似第四十三回凤姐过生日，宝玉溜走去祭金钏。）

贾母要乐一乐，要为宝钗过生日，也有挽狂澜于既倒，扭转众人的颓丧之意。她这样做，有难能可贵的一面。但从另一方面来说，事已至此，梦还不醒么？还要接着做团圆美满享福快乐的梦么？再进一步设问，梦醒了又怎么办呢？集体自杀？既然梦醒了也没有路，便闭上眼睛继续真真假假地做梦吧。说不定，贾母亦知这个欢笑是勉强的，但是，勉强也罢，做假也罢，反正必须欢笑，叫你笑你就得笑。如是这样，贾母就很有政治魄力、政治气势了。

且说宝玉一时伤心，走了出来，正无主意，只见袭人赶来，问是怎么了。宝玉道：「不怎么，只是心里烦得慌。要不趁他们喝酒，咱们两个到珍大奶奶那里逛逛去。」袭人道：「珍大奶奶在这里，去找谁？」宝玉道：「不找谁，瞧瞧他既在这里，住的房屋怎么样。」（宝玉如此。众人皆醉我独醒乎？）袭人只得跟着，一面走，一面说。走到尤氏那边，又一个小门儿半开半掩，宝玉也不进去。只见看园门的两个婆子坐在门槛上说话儿，宝玉问道：「这小门开着么？」婆子道：「天天是不开的。今儿有人出来说，今日预备老太太要用园里的果子，故开着门等着。」（那边过生日，这边看荒园，有点电影手法。）

宝玉便慢慢的走到那边，果见腰门半开。宝玉便走了进去，袭人忙拉住道：「不用去。园里不干净，常没有人去，不要再撞见什么。」宝玉仗着酒气，说：「我不怕那些！」袭人苦苦的拉住，不容他去。婆子们上来说道：

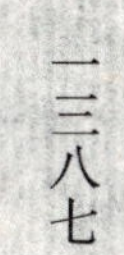

「如今这园子安静的了。自从那日道士拿了妖去，我们摘花儿，打果子，一个人常走的。二爷要去，咱们都跟着，有这些人，怕什么！」宝玉喜欢。袭人也不便相强，只得跟着。

宝玉进得园来，只见满目凄凉。那些花木枯萎，更有几处亭馆，彩色久经剥落。还远远望见一丛修竹，倒还茂盛。（像空镜头。）宝玉一想，说：「我自病时出园，住在后边，一连几个月不准我到这里，瞬息荒凉。你看独有那几竿翠竹菁葱，这不是潇湘馆么？」袭人道：「你几个月没来，连方向都忘了。咱们只管说话，不觉将怡红院走过了。」回过头来用手指着道：「这才是潇湘馆呢。」宝玉顺着袭人的手一瞧，道：「可不是过了吗？咱们回去瞧瞧。」袭人道：「天晚了，老太太必是等着吃饭，该回去了。」宝玉不言，找着旧路，竟往前走。你道宝玉虽离了大观园将及一载，岂遂忘了路径？只因袭人恐他见了潇湘馆，想起黛玉，又要伤心，所以用言混过。岂知宝玉只望里走，天又晚，招了邪气，故宝玉问他，只说已走过了，欲宝玉不去。不料宝玉的心惟在潇湘馆内。（写得细腻。）

袭人见他往前急走，只得赶上。见宝玉站着，似有所见，如有所闻，便道：「你听什么？」宝玉道：「潇湘馆倒有人住着么？」袭人道：「大约没有人罢。」宝玉道：「我明明听见有人在内啼哭，怎么没有人？」袭人道：「你是疑心。素常你到这里，常听见林姑娘伤心，所以如今还是那样。」（始终有一个袭人在旁干扰，宝玉想一个人难过一会儿亦不可能。袭人果然该死！）宝玉不信，还要听去。婆子们赶上说道：「二爷快回去罢，天已晚了。别处我们还敢走走，只是这里路又隐僻，又听得人说，这里林姑娘死后，常听见有哭声，所以人都不敢走的。」宝玉袭人听说，都吃了一惊。宝玉道：「可不是。」（不是鬼哭，是宝玉的心在哭。）说着，便滴下泪来，说：「林妹妹，林妹妹！好好儿的，是我害了你了！你别怨我，只是父母作主，并不是我负心。』（终于说出了心里的话，心里有话向谁说？）愈说愈痛，便大哭起来。袭人正在没法，只见秋纹带着些人赶来，对袭人道：『你好大胆！怎么领了二爷到这里来？老太太、太太他们打发人各处都找到了，刚才腰门上有人说是你同二爷到这里来了，唬得老太太、太太们了不得，骂着我，叫我带人赶来。还不快回去么！』（如同绑架劫持，可以说，宝玉的人生就是被绑架劫持。）宝玉犹自痛哭。袭人也不顾他哭，两个人拉着就走，一面替他拭眼泪，告诉他老太太着急。（连哭的权力也没有。）宝玉没法，只得回来。

袭人知老太太不放心，将宝玉仍送到贾母那边，众人都等着未散。贾母便说：『袭人，我素常知你明白，才把宝玉交给你，怎么今儿带他园里去？他的病才好，倘或撞着什么，又闹起来，这便怎么处？』袭人也不敢分辨，只得低头不语。宝钗看宝玉颜色不好，心里着实的吃惊。倒还是宝玉恐袭人受委屈，说道：『青天白日怕什么？我因为好些时没到园里逛逛，今儿趁着酒兴走走，那里就撞着什么了呢！』凤姐在园里吃过大亏的，听到那里，寒毛直竖，说：『宝兄弟胆子忒大了。』湘云道：『不是胆大，倒是心实。不知是会芙蓉神去了，还是寻什么仙去了。』（湘云此话，残酷无情，以别人的痛苦取乐，很不好。莫非反映了她内心——下意识中对晴雯、黛玉等的妒嫉？又，湘云何时知道了芙蓉神的事情？）宝玉听着，也不答言。独有王夫人急得一言不发。贾母问道：『你到园里可曾唬着么？这回不用说了。以后要逛，到底多带几个人才好。不然大家早散了。回去好好的睡一夜，明日一早过来，我还要找补，叫你们再乐一天呢。不要为他又闹出什么原故来。』

众人听说，辞了贾母出来。薛姨妈便到王夫人那里住下，史湘云仍在贾母房中，迎春便往惜春那里去了。余

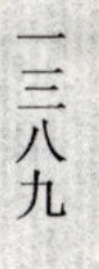
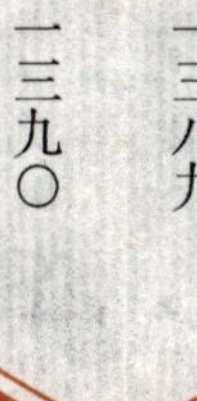

者各自回去不提。独有宝玉回到房中，嗳声叹气。宝钗明知其故，也不理他，只是怕他忧闷，勾出旧病来，便进里间，叫袭人来，细问他宝玉到园怎么样的光景。未知袭人怎生回说，下回分解。

这一回写得很不错，大有雪芹原貌。令人回忆起一次又一次地做生日，行酒令，形式相同而情景全非，尤其是感受全非，抚今思昔，平生慨叹。过程又写得很充实，合理，可信。中间出现了『金陵十二钗』，更是神来之笔。宝玉席间去大观园，凭吊黛玉故居，而终不能畅其悲，读之令人扼腕叹息。整个一回，为后四十回中难得生动活现者。

黛玉活着的时候，宝玉不能与她尽兴说话，黛玉死了，仍然不能。倾诉倾诉，何其难也！

如果能写小说呢？不论如何不经不伦，总算能吐出苦水！

第一百九回　候芳魂五儿承错爱　还孽债迎女返真元

话说宝钗叫袭人问出原故，恐宝玉悲伤成疾，便将黛玉临死的话与袭人假作闲谈，说是：『人生在世，有意有情，到了死后，各自干各自的去了，并不是生前那样个人死后还是这样。活人虽有痴心，死的竟不知道。况且林姑娘既说仙去，他看凡人是个不堪的浊物，那里还肯混在世上？只是人自己疑心，所以招出些邪魔外祟来缠扰了。』（此话明白。事事极为明白。反而显得不太明白了。）宝钗虽是与袭人说话，原说给宝玉听的。袭人会意，也说是：『没有的事。若说林姑娘的魂灵儿还在园里，我们也算好的，怎么不曾梦见了一次？』

宝玉在外间听得，细细的想道：『果然也奇。我知道林妹妹死了，那一日不想几遍，怎么从没梦过？想是他

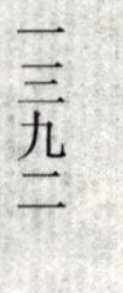

到天上去了，瞧我这凡夫俗子，不能交通神明，所以梦都没有一个儿。我就在外间睡着，或者我从园里回来，他知道我的实心，肯与我梦里一见。我必要问他实在那里去了，我也时常祭奠。若是果然不理我这浊物，竟无一梦，我便不想他了。』主意已定，便说：『我今夜就在外间睡了，你们也不用管我。』（任是糊涂却动人。）宝钗也不强他，只说：『你不用胡思乱想。你不瞧瞧，太太因你园里去了，急得话都说不出来。若是知道还不保养身子，倘或老太太知道了，又说我们不用心。』宝玉道：『白这么说罢咧，我坐一会子就进来。你也乏了，先睡罢。』宝钗知他必进来的，假意说道：『我睡了，叫袭姑娘伺候你罢。』

宝玉听了，正合机宜。等宝钗睡了，他便叫袭人麝月另铺设下一副被褥，常叫人进来瞧二奶奶睡着了没有。宝钗故意装睡，也是一夜不宁。那宝玉知是宝钗睡着，便与袭人道：『你们各自睡罢，我又不伤感。你若不信，你就伏侍我睡了再进去，只要不惊动我就是了。』袭人果然伏侍他睡下，便预备下了茶水，关好了门，进里间去照应一回，各自假寐，宝玉若有动静，再出来。宝玉见袭人等进来，便将坐更的两个婆子支到外头。他轻轻的坐起来，暗暗的祝了几句，便睡下了，欲与神交。起初再睡不着，以后把心一静，便睡去了，岂知一夜安眠。

黛玉虽死，余波不绝。企图一梦，虽不『科学』，却也有所等待，反而心安，一夜安眠。人生最苦是不知道等待什么，不知道能做什么，而又无比地痛苦。『魂魄』不曾入梦，益发地远去了，好不怅怅。怅怅而已。怅怅也就成为一种『淡出』的路子了。

直到天亮，宝玉醒来，拭眼，坐起来想了一回，并无有梦。便叹口气道：『正是「悠悠生死别经年，魂魄不曾来入梦」！』（啥事都有现成的诗句在，这是语言文化的便利，也是语言文化对于人的一种统制。）宝钗却一夜反没有睡着，

听宝玉在外边念这两句，便接口道：『这句又说莽撞了。如若林妹妹在时，又该生气了。』宝玉听了，反不好意思，只得起来，搭讪着往里间走来，说：『我原要进来的，不觉得一个盹儿就打着了。』宝钗道：『你进来不进来，与我什么相干？』（这样说话，看着冷，实际反有挑逗意。至少是逗趣，是两口子的语言。）袭人等本没有睡，眼见他们两个说话，即忙倒上茶来。已见老太太那边打发小丫头来问：『宝二爷昨夜睡得安顿么？若安顿，早早的同二奶奶梳洗了就过去。』袭人便说：『你去回老太太，说：「宝玉昨夜很安顿，回来就过来。」』小丫头去了。

宝钗起来梳洗了，莺儿袭人等跟着，先到贾母那里行了礼，便到王夫人那边起至凤姐，都让过了，仍到贾母处，见他母亲也过来了。大家问起：『宝玉晚上好么？』宝钗便说：『回去就睡了，没有什么。』众人放心，又说些闲话。只见小丫头进来，说：『二姑奶奶要回去了。听见说，孙姑爷那边人来，到大太太那里说了些话，大太太叫人到四姑娘那边说，不必留了，让他去罢。如今二姑奶奶在大太太那边哭呢，大约就过来辞老太太。』贾母众人听了，心中好不自在，都说：『二姑娘这样一个人，为什么命里遭着这样的人！一辈子不能出头，这便怎么好？』（是偶然吗？全然是孙绍祖的过错吗？迎春自己的性格——『二木头』——起了什么作用？）说着，迎春进来，泪痕满面，因为是宝钗的好日子，只得含着泪，辞了众人要回去。贾母知道他的苦处，也不便强留，只说道：『你回去也罢了，但是不要悲伤。碰着了这样人，也是没法儿的。过几天我再打发人接你去。』迎春道：『老太太始终疼我，如今也疼不来了。可怜我只是没有再来的时候儿了。』说着，眼泪直流。（日日有泪落，事事有泪落。）众人都劝道：『这有什么不能回来的？比不得你三妹妹，隔得远，要见面就难了。』贾母等想起探春，不觉也大家落泪。（岂止绛珠

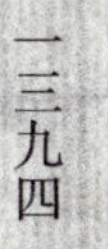

仙子，人生皆要『还泪』的。）只为是宝钗的生日，即转悲为喜说：『这也不难。只要海疆平静，那边亲家调进京来，就见的着了。』大家说：『可不是这么着呢。』说着，迎春只得含悲而别。众人送了出来，仍回贾母那里，从早至暮，又闹了一天。众人见贾母劳乏，各自散了。

一边是孙绍祖，一边是夏金桂，倒可以遥相辉映。其实薛蟠何尝比孙好？起码未闻孙有多少条人命血债。不过小说是写贾府及其近亲薛家的，小说实际是站在贾—薛这边的（何况小说有自传性），就突出了孙绍祖、夏金桂的刁悍直至淫乱。谁能公正客观？

独有薛姨妈辞了贾母，到宝钗那里，说道：『你哥哥是今年过了，直要等到皇恩大赦的时候，减了等，才好赎罪。这几年叫我孤苦伶仃，怎么处！我想要与你二哥哥完婚，你想想好不好？』宝钗道：『妈妈是为着大哥哥娶了亲，唬怕的了，所以把二哥哥的事也犹豫起来。据我说，很该就办。邢姑娘是妈妈知道的，如今在这里也很苦。娶了去，虽说我家穷，究竟比他傍人门户好多着呢。』薛姨妈道：『你得便的时候，就去告诉老太太，说我家没人，就要择日子了。』宝钗道：『妈妈只管同二哥哥商量，挑个好日子，过来和老太太、大太太说了，娶过去，就完了一宗事。（婚姻大事，办得都匆忙窘迫。这也是没落相。）这里大太太也巴不得娶了去才好。』薛姨妈道：『今日听见史姑娘也就回去了，老太太心里要留你妹妹在这里住几天，所以他住下了。我想他也是不定多早晚就走的人了，你们姊妹们也多叙几天话儿。』宝钗道：『正是呢。』于是薛姨妈又坐了一坐，出来辞了众人，回去了。

却说宝玉晚间归房，因想：『昨夜黛玉竟不入梦，或者他已经成仙，所以不肯来见我这种浊人，也是有的；不然，就是我的性儿太急了，也未可知。』便想了个主意，向宝钗说道：『我昨夜偶然在外间睡着，似乎比在屋里睡的安稳些，今日起来，心里也觉清净些。我的意思，还要在外间睡两夜，只怕你们又来拦我。』（宝玉的希望，令读者更加绝望。）宝钗听了，明知早晨他嘴里念诗是为着黛玉的事了，想来他那个呆性是不能劝的，倒叫好他睡两夜，索性自己死了心也罢了，（宝钗深谙欲收还放之理。）况兼昨夜听他睡的倒也安静，便道：『好没来由。你只管睡去，我们拦你作什么？但只不要胡思乱想的招出些邪魔外祟来。』（心魔可畏。诛心方可平稳。）宝玉笑道：『谁想什么？』袭人道：『依我劝，二爷竟还是屋里睡罢。外边一时照应不到，着了风，倒不好。』宝玉未及答言，宝钗却向袭人使了个眼色。袭人会意，便道：『也罢，叫个人跟着你罢，夜里好倒茶倒水的。』宝玉便笑道：『这么说，你就跟了我来。』袭人听了，倒没意思起来，登时飞红了脸，一声也不言语。宝钗素知袭人稳重，便说道：『他是跟惯了我的，还叫他跟着我罢。叫麝月五儿照料着也罢了。况且今日他跟着我闹了一天，也乏了，该叫他歇歇了。』宝玉只得笑着出来。

宝钗因命麝月五儿给宝玉仍在外间铺设了，又嘱咐两个人：『醒睡些，要茶要水，都留点神儿。』两个答应着。出来看见宝玉端然坐在床上，闭目合掌，居然像个和尚一般，（为宝玉出家再铺垫一步。任何事实际发生以前先有预兆，这是『红』的『情节发生学』。）两个也不敢言语，只管瞅着他笑。宝钗又命袭人出来照应。袭人看见这般，却也好笑，便轻轻的叫道：『该睡了。怎么又打起坐来了？』宝玉睁开眼看见袭人，便道：『你们只管睡罢，我坐一坐就睡。』袭人道：『因为你昨日那个光景，闹的二奶奶一夜没睡。你再这么着，成何事体？』宝玉料着自己不睡，都不肯睡，便收拾睡下。袭人又嘱咐了麝月等几句，才进去关门睡了。（啰嗦。袭人处处摆出一副她对于宝玉负有特殊责任的样子。

王夫人二两银子的特殊津贴，真不白给。）

这里麝月五儿两个人也收拾了被褥，伺候宝玉睡着，各自歇下。那知宝玉要睡越睡不着，见他两个人在那里打铺，忽然想起那年袭人不在家时，晴雯麝月两个人服事，夜间麝月出去，晴雯要唬他，因为没穿衣服，着了凉，后来还是从这个病上死的。想到这里，一心移在晴雯身上去了。（复习旧事。）忽又想起凤姐说五儿给晴雯脱了个影儿，因又将想晴雯的心肠移在五儿身上。自己假装睡着，偷偷的看那五儿，越瞧越像晴雯，不觉呆性复发。听了听里间已无声息，知是睡了；却见麝月睡着了，便故意叫了麝月两声，却不答应。五儿听见宝玉唤人，便问道：『二爷要什么？』宝玉道：『我要漱漱口。』五儿见麝月已睡，只得起来，重新剪了蜡花，倒了一钟茶来，一手托着漱盂。却因赶忙起来的，身上只穿着一件桃红绫子小袄儿，松松的挽着一个纂儿。宝玉看时，居然晴雯复生。忽又想起晴雯说的『早知担个虚名，也就打个正经主意了。』不觉呆呆的呆看，也不接茶。

那五儿自从芳官去后，也无心进来了。后来听得凤姐叫他进来伏侍宝玉，竟比宝玉盼他进来的心还急。（有心进来，进不来。无心进来，进来了。事物常常逆心而动。『心』是什么东西？）不想进来以后，见宝钗袭人一般尊贵稳重，看着心里实在敬慕；又见宝玉疯疯傻傻，不似先前丰致；又听见王夫人为女孩子们和宝玉玩笑都撵了；所以把这件事搁在心上，倒无一毫的儿女私情了。怎奈这位呆爷今晚把他当作晴雯，只管爱惜起来。那五儿早已羞得两颊红潮，又不敢大声说话，只得轻轻的说道：『二爷，漱口啊。』宝玉笑着接了茶在手中，也不知道漱了没有，便笑嘻嘻的问：『你和晴雯姐姐好不是啊？』五儿听了，摸不着头脑，便道：『都是姐妹，也没有什么不好的。』宝玉又悄悄的

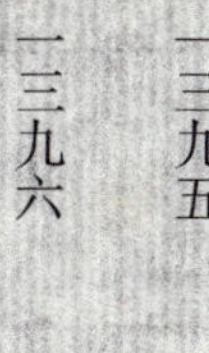

问道：『晴雯病重了，我看他去，不是你也去了么？』五儿微微笑着点头儿。宝玉道：『你听见他说什么了没有？』五儿摇着头儿道：『没有。』

宝玉已经忘神，便把五儿的手一拉。五儿急得红了脸，心里乱跳，便悄悄说道：『二爷，有什么话只管说，别拉拉扯扯的。』宝玉才放了手，说道：『他和我说来着：「早知担了个虚名，也就打正经主意了。」你怎么没听见么？』五儿听了这话明明是轻薄自己的意思，又不敢怎么样，便说道：『那是他自己没脸。这也是我们女孩儿家说得的吗？』宝玉着急道：『你怎么也是这个道学先生！我看你长的和他一模一样，我才肯和你说这个话，你怎么倒拿这些话遭塌他？』

此时五儿心中也不知宝玉是怎么个意思，便说道：『夜深了，二爷也睡罢，别紧着坐着，看凉着。刚才奶奶和袭人姐姐怎么嘱咐了？』宝玉道：『我不凉。』说到这里，忽然想起五儿没穿着大衣服，就怕他也像晴雯着了凉，便说道：『你为什么不穿上衣服就过来？』五儿道：『爷叫的紧，那里有尽着穿衣裳的空儿？要知道说这半天话儿时，我也穿上了。』宝玉听了，连忙把自己盖的一件月白绫子绵袄儿揭起来递给五儿，叫他披上。（恰如第三十六回『情悟梨香院』，因情忘我。）五儿只不肯接，说：『二爷盖着罢，我不凉。我凉，我有我的衣裳。』说着，回到自己铺边，拉了一件长袄披上。又听了听，麝月睡的正浓，才慢慢过来说：『二爷今晚不是要养神呢吗？』宝玉笑道：『实告诉你罢，什么是养神！我倒是要遇仙的意思。』五儿听了，越发动了疑心，便问道：『遇什么仙？』宝玉道：『你要知道，这话长着呢。你挨着我来坐下，我告诉你。』五儿红了脸，笑道：『你在那里躺着，我怎

么坐呢？』宝玉道：『这个何妨？那一年冷天，也是你麝月姐姐和你晴雯姐姐玩，我怕冻着他，还把他揽在被里握着呢。这有什么的！大凡一个人，总别酸文假醋的才好。』五儿听了，句句都是宝玉调戏之意，那知这位呆爷却是实心实意的话儿。五儿此时走开不好，站着不好，坐下不好，倒没了主意了。因微微的笑着道：『你别混说了。看人家听见，这是什么意思？怨不得人家说你专在女孩儿身上用工夫！你自己放着二奶奶和袭人姐姐，都是仙人儿似的，只爱和别人混缠。明儿再说这些话，我回了二奶奶，看你什么脸见人。』（时至今日，历经周折，才有宝玉与五儿的一段『错爱』。情缘如此而已。）

五儿为进宝玉这里当差，费了许多心机，担了许多风险。等最后进来了，当年吸引她『进来』的诸多因素已经不存在了，她的兴致也不是原样了。一切愿望的实现也就是愿望的『走样』，愿望的破灭。

正说着，只听外面『咕咚』一声，把两个人吓了一跳。里间宝钗咳嗽了一声，宝玉听见连忙努嘴儿，五儿也就忙忙的息了灯，悄悄的躺下了。原来宝钗袭人因昨夜不曾睡，又兼日间劳乏了一天，所以睡去，都不曾听见他们说话，此时院中一响，早已惊醒，听了听，也无动静。（真的没有听见么？怕是未必。不然，咳嗽得这么巧么？）宝玉此时躺在床上，心里疑惑：『莫非林妹妹来了，听见我和五儿说话，故意吓我们的？』翻来复去，胡思乱想，五更以后，才蒙眬睡去。

却说五儿被宝玉鬼混了半夜，又兼宝钗咳嗽，自己怀着鬼胎，生怕宝钗听见了，也是思前想后，一夜无眠。次日一早起来，见宝玉尚自昏昏睡着，便轻轻儿的收拾了屋子。那时麝月已醒，便道：『你怎么这么早起来了？

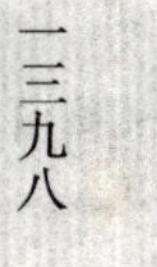

你难道一夜没睡吗？』五儿听这话又似麝月知道了的光景，便只是赸笑，也不答言。不一时，宝钗袭人也都起来。开了门，见宝玉尚睡，却也纳闷：『怎么外边两夜睡得倒这般安稳？』（这一段写得还好，也给了五儿一点戏份。）

及宝玉醒来，见众人都起来了，自己连忙爬起，揉着眼睛，细想昨夜又不曾梦见，可是『仙凡路隔』了。慢慢的下了床，又想昨夜五儿说的『宝钗袭人都是天仙一般』，这话却也不错，便怔怔的瞅着宝钗。宝钗见他发怔，虽知他为黛玉之事，却也定不得梦不梦，只是瞅的自己倒不好意思，便道：『二爷昨夜可真遇见仙了么？』宝玉听了，只道昨晚的话宝钗听见了，笑着勉强说道：『这是那里的话？』（盖自凡俗的一面看之，爱情不是绝对的也不是专一的。哪里没有爱情？爱情不是神不是仙，爱情不过是异性之间的相亲相悦……）那五儿听了这一句，越发心虚起来，又不好说的，只得且看宝钗的光景。只见宝钗又笑着问五儿道：『你听见二爷睡梦中和人说话来着么？』宝玉听了，自己坐不住，搭讪着走开了。五儿把脸飞红，只得含糊道：『前半夜倒说了几句，我也没听真。什么「担了虚名」，又什么「没打正经主意」，我也不懂，劝着二爷睡了。后来我也睡了，不知二爷还说来着没有。』宝钗低头一想：『这话明是为黛玉了。但尽着叫他在外头，恐怕心邪了，招出些花妖月姊来。况兼他的旧病，原在姊妹上情重。只好设法将他的心意挪移过来，然后能免无事。』想到这里，不免面红耳热起来，也就赸赸的进房梳洗去了。（欲写宝玉终与钗圆房，先写其对黛玉之痴情思念，中间插上五儿、晴雯一节，也算立体推进，恰到好处，倒像是大手笔，而非伪劣续作。怎么这样老练？她是精神病医生？性心理学博士？）

且说贾母两日高兴，略吃多了些，这晚有些不受用；第二天，便觉着胸口饱闷。鸳鸯等要回贾政，贾母不叫言语，说：『我这两日嘴馋些，吃多了点子。我饿一顿就好了，你们快别吵嚷。』于是鸳鸯等并没有告诉人。

这日晚间，宝玉回到自己屋里，见宝钗自贾母王夫人处才请了晚安回来。宝玉想着早起之事，未免赧颜抱惭。宝钗看他这样，也晓得是个没意思的光景。因想着他是个痴情人，要治他的这病，少不得仍以痴情治之。（宝钗的情仅仅是为宝玉提供的药石么？）想了一回，便问宝玉道：『你今夜还在外间睡去罢咧？』宝玉自觉没趣，便道：『里间外间都是一样的。』宝钗意欲再说，反觉不好意思。袭人道：『罢呀，这倒是什么道理呢？我不信睡得那么安稳。』五儿听见这话，连忙接口道：『二爷在外间睡，别的倒没什么，只是爱说梦话，叫人摸不着头脑儿，又不敢驳他的回。』袭人便道：『我今日挪到床上睡睡，看说梦话不说。你们只管把二爷的铺盖铺在里间就完了。』宝钗听了，也不作声。宝玉自己惭愧不来，那里还有强嘴的分儿，便依着搬进里间来。（这些过程也够得上是煞费苦心。）一则宝玉负愧，欲安慰宝钗之心；二则宝钗恐宝玉思郁成疾，不如假以词色，使得稍觉亲近，以为『移花接木』之计。于是当晚袭人果然挪出去。宝玉因心中愧悔，宝钗欲拢络宝玉之心，自过门至今日，方才如鱼得水，恩爱缠绵。所谓『二五之精，妙合而凝』的了。（至今日才『如鱼得水』，也是绝唱。男女居室，人之大伦，还有什么爱情不爱情的份儿？）此是后话。

宝钗永远平稳，事事平稳；永远正确，事事正确。这样，宝钗便成为一种极稳妥健全的理性心理机制的化身，成为这样一种心理机制的理想，而不是活人了。按当时的标准，宝钗也够得上高、大、全了。）

且说次日宝玉宝钗同起，宝玉梳洗了，先过贾母这边来。这里贾母因疼宝玉，又想宝钗孝顺，忽然想起一件东西，便叫鸳鸯开了箱子，取出祖上所遗一个汉玉玦，虽不及宝玉他那块玉石，挂在身上却也希罕。鸳鸯找出来递与贾母，

王蒙评点

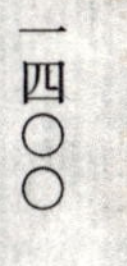

便说道：『这件东西，我好像从没见的。老太太这些年还记得这样清楚，说是那一箱什么匣子里装着。我按着老太太的话一拿就拿出来了。老太太怎么想着拿出来做什么？』贾母道：『你那里知道？这块玉还是祖爷爷给我们老太爷，老太爷疼我，临出嫁的时候叫了我去，亲手递给我的。还说：「这玉是汉时所佩的东西，很贵重，你拿着就像见了我的一样。」我那时还小，拿了来，也不当什么，便撩在箱子里。到了这里，我见咱们家的东西也多，这算得什么！从没带过，一撩便撩了六十多年。今儿见宝玉这样孝顺，他又丢了一块玉，故此，想着拿出来给他，也像是祖上给我的意思。』（忽然找出撂了六十多年的心爱旧物送给爱孙，已有诀别之意了。）

一时，宝玉请了安。贾母便喜欢道：『你过来，我给你一件东西瞧瞧。』宝玉走到床前，贾母便把那块汉玉递给宝玉。宝玉接来一瞧，那玉有三寸方圆，形似甜瓜，色有红晕，甚是精致。宝玉口口称赞。贾母道：『你爱么？这是我祖爷爷给我的，我传了你罢。』宝玉笑着，请了个安谢了，又拿了要送给他母亲瞧。贾母道：『你太太瞧了，告诉你老子，又说疼儿子不如疼孙子了。他们从没见过。』宝玉笑着去了。宝钗等又说了几句话，也辞了出来。

自此，贾母两日不进饮食，胸口仍是结闷，觉得头晕目眩，咳嗽。邢王二夫人、凤姐等请安，见贾母精神尚好，不过叫人告诉贾政，立刻来请了安。贾政出来，即请大夫看脉。不多一时，大夫来诊了脉，说是有年纪的人，停了些饮食，感冒些风寒，略消导发散些就好了。开了方子，贾政看了，知是寻常药品，命人煎好进服。以后贾政早晚进来请安。一连三日，不见稍减。贾政又命贾琏打听好大夫：『快去请来瞧老太太的病。咱们家常请的几个大夫，我瞧着不怎么好，所以叫你去。』贾琏想了一想，说道：『记得那年宝兄弟病的时候，倒是请了一个不

行医的来瞧好了的，如今不如找他。』贾政道：『医道却是极难的，愈是不兴时的大夫倒有本领。你就打发人去找来罢。』贾琏即忙答应去了，回来说道：『这刘大夫新近出城教书去了，过十来天进城一次。这时等不得，又请了一位，也就来了。』贾政听了，只得等着，不提。

且说贾母病时，合宅女眷无日不来请安。一日，众人都在那里，只见看园内腰门的老婆子进来回说：『园里的栊翠庵的妙师父知道老太太病了，特来请安。』众人道：『他不常过来，今儿特地来，你们快请去来。』凤姐走到床前回贾母。岫烟是妙玉的旧相识，先走出去接他。只见妙玉头带妙常髻，身上穿一件月白素绸袄儿，外罩一件水田青缎镶边长背心，拴着秋香色的丝绦，腰下系一条淡墨画的白绫裙，手执麈尾念珠，跟着一个侍儿，飘飘拽拽的走来。（妙玉也来了，情况更不一般。）岫烟见了问好，说是：『在园内住得日子，可以常来瞧瞧你；近来因为园内人少，一个人轻易难出来，况且咱们这里的腰门常关着，所以这些日子不得见你。今儿幸会。』妙玉道：『头里你们是热闹场中，你们虽在外园里住，我也不便常来亲近；如今知道这里的事情也不大好，又听说是老太太病着，又惦记着你，并要瞧瞧宝姑娘。（妙玉忽想起贾母来了，还是作者应该想起妙玉来了？）我那管你们的关不关，我要来就来；我不来，你们要我来也不能啊。』岫烟笑道：『你还是那种脾气。』（能保持自己的脾气，也很不简单，需要多少主客观条件！）一面说着，已到贾母房中。众人见了，都问了好。妙玉走到贾母床前问候，说了几句套话。贾母便道：『你是个女菩萨，你瞧瞧我的病可好得了好不了？』妙玉道：『老太太这样慈善的人，寿数正有呢。一时感冒，吃几贴药，想来也就好了。有年纪人，只要宽心些。』（妙玉并非菩萨，所说的话也不灵验。）贾母道：『我倒不为这些，

我是极爱寻快乐的。如今这病也不觉怎样，只是胸膈闷饱。刚才大夫说是气恼所致。你是知道的，谁敢给我气受？（好像是故意提醒，她受了『天威』。）这不是那大夫脉理平常么？我和琏儿说了，还是头一个大夫说感冒伤食的是，明儿仍请他来。』说着，叫鸳鸯：『吩咐厨房里办一桌净素菜来，请他在这里便饭。』妙玉道：『我已吃过午饭了，我是不吃东西的。』王夫人道：『不吃也罢，咱们多坐一会，说些闲话儿罢。』妙玉道：『我久已不见你们，今儿来瞧瞧。』又说了一回话，便要走，回头见惜春站着，便问道：『四姑娘为什么这样瘦？不要只管爱画劳了心。』（照顾一下惜春。）惜春道：『我久不画了。如今住的房屋不比园里的显亮，所以没兴画。』（轻描淡写地交代一下惜春不画。）妙玉道：『你如今住在那一所了？』惜春道：『就是你才来的那个门东边的屋子，你要来，很近。』妙玉道：『我高兴的时候来瞧你。』惜春等说着送了出去。回身过来，听见丫头们回说大夫在贾母那边呢，众人暂且散去。

那知贾母这病日重一日，延医调治不效，以后又添腹泻。（类似全面功能衰减。）贾政着急，知病难医，即命人到衙门告假，日夜同王夫人亲侍汤药。一日，见贾母略进些饮食，心里稍宽，只见老婆子在门外探头。王夫人叫彩云看去，问问是谁。彩云看了是陪迎春到孙家去的人，便道：『你来做什么？』婆子道：『我来了半日，这里找不着一个姐姐们，我又不敢冒撞，我心里又急。』彩云道：『你急什么？又是姑爷作践姑娘不成么？』婆子道：『姑娘不好了！前儿闹了一场，姑娘哭了一夜，昨日痰堵住了。他们又不请大夫，今日更利害了。』彩云道：『老太太病着呢，别大惊小怪的。』王夫人在内已听见了，恐老太太听见不受用，忙叫彩云带他外头说去。岂知贾母病中心静，偏偏听见，便道：『迎丫头要死了么？』王夫人便道：『没有。婆子们不知轻重，说是这两日有些病，

恐不能就好，到这里问大夫。』贾母道：『瞧我的大夫就好，快请了去。』王夫人便叫彩云：『叫这婆子去回大太太去。』那婆子去了。

这里贾母便悲伤起来，说是：『我三个孙女儿：一个享尽了福死了；三丫头远嫁，不得见面；迎丫头虽苦，或者熬出来，不打谅他年轻轻儿的就要死了。留着我这么大年纪的人活着作什么！』（也许是贾母确实福气太大了，把后代的福都集中到她身上了。）王夫人鸳鸯等解劝了好半天。那时宝钗李氏等不在房中，凤姐近来有病。王夫人恐贾母生悲添病，便叫人叫了他们来陪着，自己回到房中，叫彩云来埋怨：『这婆子不懂事！以后我在老太太那里，你们有事，不用来回。』丫头们依命不言。岂知那婆子刚到邢夫人那里，外头的人已传进来，说：『二姑奶奶死了。』邢夫人听了，也便哭了一场。（哭比帮助一个人容易得多。哭没有任何责任，不会面对任何后果。）现今他父亲不在家中，只得叫贾琏快去瞧看。知贾母病重，众人都不敢回。可怜一位如花似月之女，结缡年余，不料被孙家揉搓，以致身亡，又值贾母病笃，众人不便离开，竟容孙家草草完结。（还能办当年秦可卿的极风光的丧事吗？）

贾母病势日增，只想这些孙女儿。一时想起湘云，便打发人去瞧他。回来的人悄悄的找鸳鸯，因鸳鸯在老太身旁，王夫人等都在那里，不便上去，到了后头，找了琥珀，告诉他道：『老太太想史姑娘，叫我们去打听。那里知道史姑娘哭得了不得，说是姑爷得了暴病，（接踵而至。）大夫都瞧了，说这病只怕不能好，若是变了个痨病，还可挨过四五年。所以史姑娘心里着急。又知道老太太病，只是不能过来请安。还叫我不要在老太太面前提起，倘或老太太问起来，务必托你们变个法儿回老太太才好。』琥珀听了，『咳』了一声，就也不言语了，半日说道：

『你去罢。』琥珀也不便回，心里打算告诉鸳鸯叫他撒谎去，所以来到贾母床前。只见贾母神色大变，地下站着一屋子的人，嘁嘁的说：『瞧着是不好了。』也不敢言语了。

这里贾政悄悄的叫贾琏到身旁，向耳边说了几句话。贾琏轻轻的答应，出去了，便传齐了现在家的一干家人，说：『老太太的事，待好出来了，你们快快分头派人办去。头一件，先请出板来瞧瞧，好挂里子。快到各处将各人的衣服量了尺寸，都开明了，便叫裁缝去做孝衣。那棚杠执事都去讲定。厨房里还该多派几个人。』（丧事是人之至哀，却又是一种礼仪，一套劳民伤财的俗务。）赖大等回道：『二爷，这些事不用爷费心，我们早打算好了，只是这项银子在那里打算？』贾琏道：『这种银子不用算计了，老太太自己早留下了。（贾母远见，万事不求儿孙。还是自己为自己料理后事更靠得住。）刚才老爷的主意，只要办的好，我想外面也要好看。』赖大等答应，派人分头办去。

贾琏复回到自己房中，便问平儿：『你奶奶今儿怎么样？』平儿把嘴往里一努，说：『你瞧去。』贾琏进内，见凤姐正要穿衣，一时动不得，暂且靠在炕桌儿上。贾琏道：『你只怕养不住了，老太太的事，今儿明儿就要出来了，你还脱得过么？快叫人将屋里收拾收拾，就该扎挣上去了。若有了事，你我还能回来么？』凤姐道：『咱们这里还有什么收拾的？不过就是这点子东西，还怕什么！你先去罢，看老爷叫你。我换件衣裳就来。』

贾琏先回到贾母房里，向贾政悄悄的回道：『诸事已交派明白了。』贾政点头。外面又报：『太医进来了。』贾琏接入，诊了一回，出来，悄悄的告诉贾琏：『老太太的脉气不好，防着些。』贾琏会意，与王夫人等说知。王夫人即忙使眼色叫鸳鸯过来，叫他把老太太的装裹衣服预备出来。鸳鸯自去料理。贾母睁眼要茶喝，邢夫人便进了一杯参汤。贾母刚用嘴接着喝，便道：『不要那个，倒一钟茶来我喝。』（仍有分辨，有主意。）众人不敢违拗，即忙送上来。一口喝了，还要，又喝一口，便说：『我要坐起来。』贾政等道：『老太太要什么，只管说，可以不必坐起来才好。』贾母道：『我喝了口水，心里好些，略靠着和你们说说话。』珍珠等用手轻轻的扶起，看见贾母这回精神好些。未知生死，下回分解。

终于到了这一天。贾母虽然管事不多，但仍然是贾家前辈功臣形象的继承者，她说话做事都与偷鸡摸狗者不同；她也是全家的凝聚者，不论有多少窝里斗，多少对于『偏心』的不满，仍然要在她面前维持哪怕是表面的孝悌忠顺；她是贾家光荣历史与繁华福寿的象征。她死了，贾家已不可能再维持下去。原来的赫赫扬扬的贾家，不复存在。宝玉求梦黛玉而不得，移到了五儿身上，算是还了与五儿一段小小情缘。却又因此与宝钗实现了『鱼水和谐』。五儿是承错爱，宝钗算不算承错爱呢？爱而能错，妙极。表现了爱情的真诚神圣却又表现了爱情的滑稽乃至轻薄。然后是死神。一个接一个，旋踵而至。这在艺术处理上也是很困难的，这种一死一大片的情景，写不好，也显得太人为。死神是文学的重要角色。这样的角色是必须隆重推出的。

人多事多，病多丧多，大多写得症候贴切，一丝不苟，生死亦大矣，贾母死得也还大气。相比之下，宝玉未死也未病，却整天颓废于必死，未免无聊。

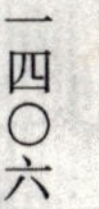

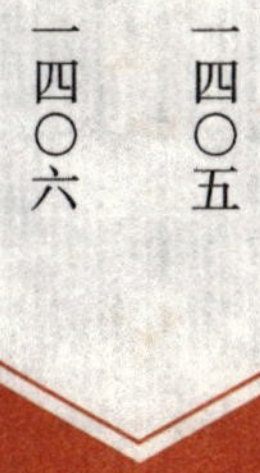

第一百十回　史太君寿终归地府　王凤姐力诎失人心

却说贾母坐起说道：『我到你们家已经六十多年了，从年轻的时候到老来，福也享尽了。自你们老爷起，儿子孙子也都算是好的了。就是宝玉呢，我疼了他一场……』（神志清楚。福已享尽，并无遗憾。福尽当逝，并无留恋。其言也善，并无责备。）说到那里，拿眼满地下瞅着。王夫人便推宝玉走到床前。贾母从被窝里伸出手来拉着宝玉，道：『我的儿，你要争气才好！』（用语简明，虽大方向一致，但贾母用语比贾政动人、有人情味得多。那是自然。）宝玉嘴里答应，心里一酸，那眼泪便要流下来，又不敢哭，只得站着。听贾母说道：『我想再见一个重孙子，我就安心了。我的兰儿在那里呢？』李纨也推贾兰上去。贾母放了宝玉，拉着贾兰，道：『你母亲是要孝顺的。将来你成了人，也叫你母亲风光风光。（对李纨，其心有戚戚焉。）凤丫头呢？』凤姐本来站在贾母旁边，赶忙走到眼前，说：『在这里呢。』贾母道：『我的儿，你是太聪明了，将来修修福罢！（一语中的。）我也没有修什么，不过心实吃亏。那些吃斋念佛的事我也不大干，就是旧年叫人写了些《金刚经》送送人，不知送完了没有？』凤姐道：『没有呢。』贾母道：『早该施舍完了才好。我们大老爷和珍儿是在外头乐了；最可恶的是史丫头没良心，怎么总不来瞧我。』（仍然有隔。）鸳鸯等明知其故，都不言语。贾母又瞧了一瞧宝钗，叹了口气，只见脸上发红。贾政知是回光返照，即忙进上参汤。贾母的牙关已经紧了，合了一回眼，又睁着满屋里瞧了一瞧。（最后满屋一瞧，令人肝肠寸断。）王夫人宝钗上去，轻轻扶着，邢夫人凤姐等便忙穿衣。地下婆子们已将床安设停当，铺了被褥。听见贾母喉间略一响动，脸变笑容，竟是去了。享年八十三岁。（善终，无咎。读之怆然。依依。贾母之死写得简练、得体、有派。就这一段，也非一般二三流笔墨写得出的。）众婆子疾忙停床。

写贾母死，可以见出作者对老人家的尊重。他对贾母的形象十分爱惜。虽然也写到她自己并不避讳的『偏心』，她的糊涂（贾敕讨妾事埋怨王夫人，凤姐泼醋事埋怨平儿），和偶有一次的恶声恶气（抄检大观园前），但总体来说，这是一个大家风度的老太太形象。

于是贾政等在外一边跪着，邢夫人等在内一边跪着，一齐举起哀来。外面家人各样预备齐全，只听里头信儿一传出来，从荣府大门起至内宅门，扇扇大开，一色净白纸糊了；孝棚高起，大门前的牌楼立时竖起；上下人等登时成服。贾政报了丁忧，礼部奏闻。主上深仁厚泽，念及世代功勋，又系元妃祖母，赏银一千两，谕礼部主祭。家人们各处报丧。众亲友虽知贾家势败，今见圣恩隆重，都来探丧。（圣恩隆重何能势败？『圣恩』云云是礼貌用语，实际要打折扣的。）择了吉时成殓，停灵正寝。

贾赦不在家，贾政为长，宝玉、贾环、贾兰是亲孙，年纪又小，都应守灵。贾琏虽也是亲孙，带着贾蓉，尚可分派家人办事。虽请了些男女外亲来照应，内里邢王二夫人、李纨、凤姐、宝钗等是应灵旁哭泣的；尤氏虽可照应，他自贾珍外出，依住荣府，一向总不上前，且又荣府的事不甚谙练；贾蓉的媳妇更不必说了；惜春年小，虽在这里长的，他于家事全不知道。所以内里竟无一人支持，只有凤姐可以照管里头的事，况又贾琏在外作主，里外他二人，倒也相宜。凤姐先前仗着自己的才干，原打谅老太太死了，他大有一番作用。（到这时了，还这样想，未免不自量力，难免自取其辱。）邢王二夫人等本知他曾办过秦氏的事，必是妥当，于是仍叫凤姐总理里头的事。凤姐本不应辞，自然应了，心想：『这里的事本是我管的。那些家人更是我手下的人。太太和珍大嫂子的人本来难使唤些，如今他们都去了。银项虽没有了对牌，这种银子是现成的。外头的事又是他办着。虽说我现今身子不好，想来也

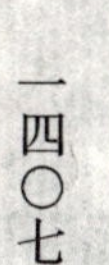

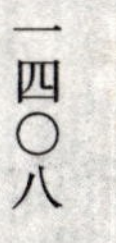

不致落褒贬，必是比宁府里还得办些。』心下已定，且待明日接了三，后日一早便叫周瑞家的传出话去，将花名册取上来。凤姐一一的瞧了，统共只有男仆二十一人，女仆只有十九人，余者俱是些丫头，连各房算上，也不过三十多人，难以点派差使。（综合实力，大不如前，奈凤姐何？）心里想道：『这回老太太的事倒没有东府里的人多。』又将庄上的弄出几个，也不敷差遣。

正在思算，只见一个小丫头过来说：『鸳鸯姐姐请奶奶。』凤姐只得过去，只见鸳鸯哭得泪人一般，一把拉着凤姐儿，说道：『二奶奶请坐，我给二奶奶磕个头。虽说服中不行礼，这个头是要磕的。』（鸳鸯再好，境界有限，显得愚而诚。）鸳鸯说着跪下，慌的凤姐赶忙拉住，说道：『这是什么礼？有话好好的说。』鸳鸯跪着，凤姐便拉起来。鸳鸯说道：『老太太的事，一应内外，都是二爷和二奶奶办。这种银子是老太太留下的。老太太这一辈子也没有遭塌过什么银钱，如今临了这件大事，必得求二奶奶体体面面的办一办才好！我方才听见老爷说什么「诗云」「子曰」，我不懂；又说什么「丧与其易，宁戚」，我听了不明白。我问宝二奶奶，说是，老爷的意思：老太太的丧事，只要悲切才是真孝，不必糜费，图好看的念头。我想老太太这样一个人，怎么不该体面些？我虽是奴才丫头，敢说什么？只是老太太疼二奶奶和我这一场，临死了还不叫他风光风光？我想二奶奶是能办大事的，故此我请二奶奶来，求作个主。（鸳鸯一心一意忠于贾母，为贾母说话，原属应该。只是她太不了解大势了。她未免『单打一』了。）我生是跟老太太的人，老太太死了，我也是跟老太太的，若是瞧不见老太太的事怎么办，将来怎么见老太太呢？』

凤姐听了这话来的古怪，便说：『你放心，要体面是不难的。况且老爷虽说要省，那势派也错不得。便拿这

项银子都花在老太太身上，也是该当的。』鸳鸯道：『老太太的遗言说，所有剩下的东西是给我们的，二奶奶倘或用着不够，只管拿这个去折变补上。就是老爷说什么，我也不好违了老太太的遗言。那日老太太分派的时候，不是老爷在这里听见的么？』凤姐道：『你素来最明白的，怎么这会子那样的着急起来了？』鸳鸯道：『不是我着急，为的是大太太是不管事的，老爷是怕招摇的。若是二奶奶心里也是老爷的想头，说抄过家的人家，丧事还是这么好，将来又要抄起来，也就不顾起老太太来，怎么处？在我呢，是个丫头，好歹碍不着，到底是这里的声名。』凤姐道：『我知道了。你只管放心，有我呢。』鸳鸯千恩万谢的托了凤姐。（这里也有山头问题。老太太是总统领，不差，但老太太还有自己的个人生活的小圈子。鸳鸯是圈内人，她要提要求，她要施压力，她要挑毛病，她自认为这是她的使命。当然，鸳鸯也是为自己办后事，是此生最后一次办事。）

那凤姐出来，想道：『鸳鸯这东西好古怪，不知打了什么主意？论理，老太太身上本该体面些。嗳！不要管他，且按着咱们家先前的样子办去。』于是叫旺儿家的来，话传出去，请二爷进来。不多时，贾琏进来，说道：『怎么找我？你在里头照应着些就是了。横竖作主是咱们二老爷，他说怎么着，咱们就怎么着。』凤姐道：『你也说起这个话来了，可不是鸳鸯说的话应验了么？』贾琏道：『什么鸳鸯的话？』凤姐便将鸳鸯请进去的话述了一遍。贾琏道：『他们的话算什么！才刚二老爷叫我去，说：「老太太的事固要认真办理，但是知道的呢，说是老太太自己结果自己；不知道的，只说咱们都隐匿起来了，如今很宽裕。老太太的这种银子用不了，谁还要么？仍旧该用在老太太身上。老太太是在南边的，坟地虽有，阴宅却没有。老太太的柩是要归到南边去的。留这银子

在祖坟上盖起些房屋来，再余下的，置买几顷祭田。咱们回去也好；就是不回去，也叫这些贫穷族中住着，也好按时按节早晚上香，时常祭扫祭扫。」（此话本是大局。大局下非无私心。）你想这些话可不是正经主意？据你这个话，难道都花了罢？』（说的含蓄。）凤姐道：『银子发出来了没有？』贾琏道：『谁见过银子！我听见咱们太太听见了二老爷的话，极力的撺掇二太太和二老爷说：「这是好主意。」（却原来，自己为自己安排的后事也是要受制于众的。）叫我怎么着？现在外头棚杠上要支几百银子，这会子还没有发出来。我要去，他们都说有，先叫外头办了，回来再算。你想，这些奴才们，有钱的早溜了，按着册子叫去，有的说告病，有的说下庄子去了。走不动的有几个，只有赚钱的能耐，还有赔钱的本事么？』（实际情况已经如此。运来黄金满地，运去一片荒凉。）凤姐听了，呆了半天，说道：『这还办什么！』

正说着，见来了一个丫头，说：『大太太的话，问二奶奶：今儿第三天了，里头还很乱，供了饭，还叫亲戚们等着吗？叫了半天，来了菜，短了饭，这是什么办事的道理？』凤姐急忙进去吆喝人来伺候，胡弄着将早饭打发了。偏偏那日人来的多，里头的人都死眉瞪眼的。（死眉瞪眼，由于没有油水，也由于失去往日威势。无势是无法办事的。想否认也不行。）凤姐只得在那里照料了一会子，又惦记着派人，赶着出来，叫了旺儿家的传齐了家下女人们，一一分派了。众人都答应着不动。凤姐道：『什么时候，还不供饭？』众人道：『传饭是容易的，只要将里头的东西发出来，我们才好照管去。』凤姐道：『糊涂东西！派定了你们，少不得有的。』众人只得勉强应着。（万事皆有因果。）

凤姐即往上房取发应用之物，要去请示邢王二夫人，见人多难说，看那时候已经日渐平西了，只得找了鸳

鸯，说要老太太存的那一分家伙。鸳鸯道：『你还问我呢，那一年二爷当了，赎了来了么？』（寅吃卯粮，捉襟见肘，『不够转』了。）凤姐道：『不用银的金的，只要那一分平常使的。』鸳鸯道：『大太太珍大奶奶屋里使的是那里来的？』凤姐一想不差，转身就走，只得到王夫人那边找了玉钏彩云，才拿了一分出来，急忙叫彩明登帐发与众人收管。（此一时也彼一时也。人们往往倾向于以事论人，以功过论英雄。其实，事成了，未必是英雄，而是因为具备了天时、地利、人和诸种条件，事不成，也不定是孬种，因为失去了诸种条件。）

鸳鸯见凤姐这样慌张，又不好叫他回来，心想：『他头里作事，何等爽利周到，如今怎么掣肘的这个样儿。我看这两三天连一点头脑都没有，不是老太太白疼了他了吗！』那里知邢夫人一听贾政的话，正合着将来家计艰难的心，巴不得留一点子作个收局。况且老太太的事原是长房作主，贾赦虽不在家，贾政又是拘泥的人，有件事便说『请大奶奶的主意。』邢夫人素知凤姐手脚大，贾琏的闹鬼，所以死拿住不放松。鸳鸯只道已将这项银两交了出去了，故见凤姐掣肘如此，便疑为不肯用心，便在贾母灵前唠唠叨叨哭个不了。

邢夫人等听了话中有话，不想到自己不令凤姐便宜行事，反说：『凤丫头果然有些不用心。』王夫人到了晚上，叫了凤姐过来，说：『咱们家虽说不济，外头的体面是要的。这两三日人来人往，我瞧着那些人都照应不到，想是你没有吩咐，还得你替我们操点心儿才好！』（王夫人从来是死官僚一个。『上头』不一个心，办事人只能受夹板气。）凤姐听了，呆了一会，要将银两不凑手的话说出，但是银钱是外头管的，王夫人说的是照应不到。凤姐也不敢辨，只好不言语。邢夫人在旁说道：『论理，该是我们做媳妇的操心，本不是孙子媳妇的事。但是我们动不得身，所

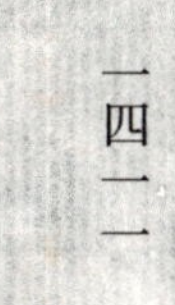

以托你的。你是打不得撤手的。』凤姐紫涨了脸，正要回说，只听外头鼓乐一奏，是烧黄昏纸的时候了，大家举起哀来，又不得说。凤姐原想回来再说，王夫人催他出去料理，说道：『这里有我们的，你快快儿的去料理明儿的事罢。』（凤姐的威势，一半来自家大业大，一半来自贾母宠爱。现在，这两样都没有了，凤姐自觉不自觉地已经支持不住了！两种丧事观。贾政迂腐，但也考虑到气候，不宜铺张放肆。与秦氏举丧时真如天渊之别。鸳鸯忠主，不惜不顾一切别的条件，只求大张旗鼓，实乃心有余而力不足，不合时宜。邢氏乘机报复，报复贾母也报复凤姐。拉大族以逞私心。王夫人是要搞什么名堂呢？）

凤姐不敢再言，只得含悲忍泣的出来，又叫人传齐了众人，又吩咐了一会，说：『大娘婶子们可怜我罢！我上头捱了好些说，为的是你们不齐截，叫人笑话，明儿你们豁出些辛苦来罢。』（这样的声口，可怜！）那些人回道：『奶奶办事，不是今儿个一遭儿了，我们敢违拗吗？只是这回的事，上头过于累赘。只说打发这顿饭罢：有的在这里吃，有的要在家里吃；请了那位太太，又是那位奶奶不来。诸如此类，那得齐全？还求奶奶劝劝那些姑娘们不要挑饬就好了。』（都管事，都比凤姐『大』。却又都不管事，都埋怨凤姐。管事难矣！）凤姐道：『头一层是老太太的丫头们是难缠的，太太们的也难说话，叫我说谁去呢？』（凤姐明白，明白也无办法。）众人道：『从前奶奶在东府里还是署事，要打要骂，怎么这样锋利，谁敢不依？如今这些姑娘们都压不住了？』凤姐叹道：『东府里的事，虽说托办的，太太虽在那里，不好意思说什么。如今是自己的事情，又是公中的，人人说得话。（人人说得，更不中用。）再者，外头的银钱也叫不灵，即如棚里要一件东西，传了出来，总不见拿进来，这叫我什么法儿呢？』众人道：『二爷在外头，倒怕不应付么？』凤姐道：『还提那个！他也是那里为难。第一件，银钱不在他手里，要一件得回一件，那里凑手？』众人道：『老

太太这项银子不在二爷手里吗？』凤姐道：『你们回来问管事的，便知道了。』众人道：『怨不得！我们听见外头男人抱怨说：「这么件大事，咱们一点摸不着，净当苦差！」叫人怎么能齐心呢？』凤姐道：『如今不用说了。眼面前的事，大家留些神罢。倘或闹的上头有了什么说的，我和你们不依的。』众人道：『奶奶要怎么样，我们敢抱怨吗？只是上头一人一个主意，我们实在难周到的。』（贾母既死，更加「一人一个主意」了。什么事能办得好？）凤姐听了也没法，只得央说道：『好大娘们！明儿且帮我一天。等我把姑娘们闹明白了，再说罢咧。』众人听命而去。

凤姐一肚子的委屈，愈想愈气，直到天亮，又得上去。要把各处的人整理整理，又恐邢夫人生气；要和王夫人说，怎奈邢夫人挑唆。这些丫头们见邢夫人等不助着凤姐的威风，更加作践起他来。（凤姐休矣！贾母一死，权力真空，愈是坏人，愈要乘机做恶、报复、谋私。）幸得平儿替凤姐排解，说是：『二奶奶巴不得要好，只是老爷太太们吩咐了外头，不许糜费，所以我们二奶奶不能应付到了。』说过几次，才得安静些。虽说僧经道忏，上祭挂帐，络绎不绝，终是银钱吝啬，谁肯踊跃，不过草草了事。连日王妃诰命也来得不少，凤姐也不能上去照应，只好在底下张罗。叫了那个，走了这个；发一回急，央及一回，胡弄过了一起，又打发一起。别说鸳鸯等看去不像样，连凤姐自己心里也过不去了。（凤姐这种地位，弄好了，可以东瞒西挡，左右逢源，利用矛盾，发展自己的威权与实力。弄不好，只能挤在当中，到处挨板子。）

邢夫人虽说是冢妇，仗着『悲戚为孝』四个字，倒也都不理会。王夫人落得跟了邢夫人行事，余者更不必说了。（邢夫人此种态度，是因为邢本来就不被贾母『待见』。王夫人为何也这样呢？乖谬得很！）独有李纨瞧出凤姐的苦处，也不敢替他说话，只自叹道：『俗语说的，「牡丹虽好，全仗绿叶扶持」，太太们不亏了凤丫头，那些人还帮着吗？若是三姑娘在家

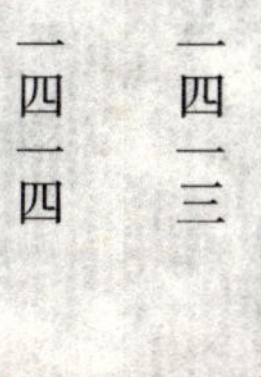

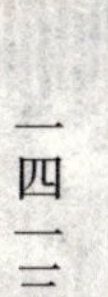

还好，如今只有他几个自己的人瞎张罗，面前背后的也抱怨，说是一个钱摸不着，脸面也不能剩一点儿。老爷是一味的尽孝，庶务上头不大明白。这样的一件大事，不撒散几个钱就办的开了吗？可怜凤丫头闹了几年，不想在老太太的事上，只怕保不住脸了。』于是抽空儿叫了他的人来，吩咐道：『你们别看着人家的样儿，也遭塌起琏二奶奶来。别打谅什么穿孝守灵就算了大事了，不过混过几天就是了。看见那些人张罗不开，便插个手儿，也未为不可。这也是公事，大家都该出力的。』（李纨毕竟有过「三套马车」的经验。）那些素服李纨的人都答应着说：『大奶奶说的很是，我们也不敢那么着。只听见鸳鸯姐姐们的口话儿，好像怪琏二奶奶的似的。』李纨道：『就是鸳鸯，我也告诉过他。我说琏二奶奶并不是在老太太的事上不用心，只是银子钱都不在他手里，叫他巧媳妇还作的上没米的粥来吗？如今鸳鸯也知道了，所以也不怪他了。只是鸳鸯的样子竟是不像从前了，这也奇怪。那时候有老太太疼他，倒没有作过什么威福；如今老太太死了，没有了仗腰子的了，我看他倒有些气质不大好了。（怪事还在后头。）我先前替他愁，这会子幸喜大老爷不在家，才躲过去了；不然，他有什么法儿？』

说着，只见贾兰走来说：『妈妈睡罢。一天倒晚人来客去的也乏了，歇歇罢。我这几天总没有摸摸书本儿。今儿爷爷叫我家里睡，我喜欢的很，要理个一两本书才好，别等脱了孝再都忘了。』（贾兰这时大谈摸书本，似有做作，终不自然。）李纨道：『好孩子，看书呢，自然是好的。今儿且歇歇罢，等老太太送了殡再看罢。』贾兰道：『妈妈要睡，我也就睡在被窝里头想想也罢了。』众人听了，都夸道：『好哥儿！怎么这点年纪，得了空儿就想到书上？不像宝二爷，娶了亲的人还是那么孩子气。这几日跟着老爷跪着，瞧他很不受用，巴不得老爷一动身就跑过来找

二奶奶，不知唧唧咕咕的说些什么。甚至弄的二奶奶都不理他了，他又去找琴姑娘。琴姑娘也远避他，邢姑娘也不很和他说话。倒是咱们本家的什么喜姑娘咧四姑娘咧，「哥哥」长「哥哥」短的和他亲密。我们看那宝二爷除了和奶奶姑娘们混混，只怕他心里也没有别的事，白过费了老太太的心，疼了他这么大，那里及兰哥儿一零儿呢。大奶奶，你将来是不愁的了。』（整个一部『红』，通过人物的口、作者的口把宝玉贬了无数次，宝玉仍有可爱处。）李纨道：『就好也还小。只怕到他大了，咱们家还不知怎么样了呢！环哥儿你们瞧着怎么样？』（李纨不存幻想。）众人道：『这一个更不像样儿了！两个眼睛倒像个活猴儿是的，东溜溜，西看看。虽在那里嚎丧，见了奶奶姑娘们来了，他在孝幔子里头净偷着眼儿瞧人呢。』（对贾环也是老一套的贬。）李纨道：『他的年纪其实也不小了。前日听见说还要给他说亲呢，如今又得等着了。嗳！还有一件事：咱们家这些人，我看来也是说不清的。且不必说闲话，后日送殡，各房的车辆是怎么样了？』众人道：『琏二奶奶这几天闹的像失魂落魄的样儿了，也没见传出去。昨儿听见我的男人说，二爷派了蔷二爷料理，说是咱们家的车也不够，赶车的也少，要到亲戚家去借去呢。』李纨笑道：『车也都是借得的么？』众人道：『奶奶说笑话儿了，车子怎借不得？只是那一日所有的亲戚都用车，只怕难借，想来还得雇呢。』（那时的人已经重视车不车的问题了。）李纨道：『底下人的只得雇，上头白车也有雇的么？』众人道：『现在大太太、东府里的大奶奶小蓉奶奶，都没有车了，不雇，那里来的呢？』李纨听了，叹息道：『先前见有咱们家儿的太太奶奶们坐了雇的车来，咱们都笑话，如今轮到自己头上了。（一切寒伧、狼狈，都有轮到自己头上的日子。坐雇了的车来，如现在的打的而来。）你明儿去告诉你的男人，我们的车马，早早儿的预备好了，省得挤。』众人答应了出去，不提。

且说史湘云因他女婿病着，贾母死后，只来的一次，屈指算是后日送殡，不能不去。又见他女婿的病已成痨症，暂且不妨，只得坐夜前一日过来。想起贾母素日疼他；又想到自己命苦，刚配了一个才貌双全的男人，性情又好，偏偏的得了冤孽症候，不过挨日子罢了，于是更加悲痛，直哭了半夜。鸳鸯等再三劝慰不止。宝玉瞅着也不胜悲伤，又不好上前去劝。见他淡妆素服，不敷脂粉，更比未出嫁的时候犹胜几分。转念又看宝琴等淡素妆饰，自有一种天生丰韵。独有宝钗浑身孝服，那知道比寻常穿颜色时更有一番雅致。心里想道：『所以千红万紫，终让梅花为魁。殊不知并非为梅花开的早，竟是「洁白清香」四字是不可及的了。但只这时候若有林妹妹，也是这样打扮，又不知怎样的丰韵呢！』（宝玉全天候地生活在自己的小宇宙里。）想道这里，不觉的心酸起来，那泪珠儿便直滚滚的下来了，趁着贾母的事，不妨放声大哭。（他不为贾母之死而悲伤么？）众人正劝湘云不止，外间又添出一个哭的来了。大家只道是想着贾母疼他的好处，所以悲伤，岂知他们两个人各自有各自的心事。这场大哭，不禁满屋的人无不下泪。（哭声喧天，哭声不止。一部《红楼梦》，愈读下去就愈是一片哭声。）还是薛姨妈李婶娘等劝住。

次日是坐夜之期，更加热闹。凤姐这日竟支撑不住，也无方法，只得用尽心力，甚至咽喉嚷破，敷衍过了半日。到了下半天，人客更多了，事情也更繁了，瞻前不能顾后。正在着急，只见一个小丫头跑来说：『二奶奶在这里呢！怪不得大太太说：「里头人多，照应不过来，二奶奶是躲着受用去了。」』凤姐听了这话，一口气撞上来，往下一咽，眼泪直流，只觉得眼前一黑，嗓子里一甜，便喷出鲜红的血来，身子站不住，就蹲倒在地。（末日到矣。）

幸亏平儿急忙过来扶住，只见凤姐的血吐个不住。未知性命如何，下回分解。

并非凤姐力绌。主要是：一、势绌。贾家大势已去，既表现为财政困难，也表现为人心涣散。二、贾母既死，『上头』一人（一个主意，把凤姐挂在当中，夹在当间。三、凤姐威风有余，人心不足，盛时可以压服，衰时众叛亲离（不是力绌才失了人心，恰是力盛时失了人心）。四、邢夫人借此来整凤姐，王夫人尤为乖谬，干脆是个混蛋。鸳鸯已立志殉主，只一个肠子，无法理解个中麻烦。五、凤姐本身，体力不如前，信心不如前。此一时也，彼一时也。固一时之雄也，而今安在哉？此回写得条条理理，面面俱到。盛要好好地写，衰与灭更要细细地写、细细地读、细细地想。能把衰与灭读通读透的读者，有戏了。

第一百十一回　鸳鸯女殉主登太虚　狗彘奴欺天招伙盗

迎春死，贾母死，鸳鸯死，一回死一个，十分密集。加上此前不久的元妃死（九十五回）、黛玉死（九十八回）、探春远嫁（一百回）、金桂死（一百三回）、抄家（一百五回），及凤姐、史湘云夫婿病重将死……呜呼。死也难。写死也难。写忽喇喇一个接一个地死更难。批评续作死得还不够『真干净』时，应该考虑到写作上的难处这一点。

话说凤姐听了小丫头的话，又气又急又伤心，不觉吐了一口血，便昏晕过去，坐在地下。平儿急来靠着，忙叫了人来搀扶着，慢慢的送到自己房中，将凤姐轻轻的安放在炕上，立刻叫小红斟上一杯开水送到凤姐唇边。凤姐呷了一口，昏迷仍睡。秋桐过来略瞧了一瞧，却便走开，平儿也不叫他。只见丰儿在旁站着，平儿叫他『快快的去回明白了的二奶奶吐血发晕，不能照应』的话，告诉了邢王二夫人。邢夫人打谅凤姐推病藏躲，因这时女亲在内也不少，也不好说别的，心里却不全信，只说：『叫他歇着去罢。』众人也并无言语。只说这晚人客来往不绝，幸得几个内亲照应。家下人等见凤姐不在，也有偷闲歇力的，乱乱吵吵，已闹的七颠八倒，不成事体了。（这是把生理问题、心理问题、财务问题、势力问题、管理问题结合成一个死结来写。到了大势已去之时，什么麻烦、晦气都上来了。）

到二更多天，远客去后，便预备辞灵，孝幕内的女眷，大家都哭了一阵。只见鸳鸯已哭的昏晕过去了，大家扶住，捶闹了一阵，才醒过来，便说『老太太疼我一场，我跟了去』的话。众人都打谅人到悲哭俱有这些言语，也不理会。到了辞灵之时，上上下下也有百十众余人，只鸳鸯不在，众人忙乱之时，谁去检点。到了琥珀等一干的人哭奠之时，却不见鸳鸯，想来是他哭乏了，暂在别处歇着，也不言语。

辞灵以后，外头贾政叫了贾琏问明送殡的事，便商量着派人看家。贾琏回说：『上人里头，派了芸儿在家照应，不必送殡；下人里头，派了林之孝的一家子照应拆棚等事。但不知里头派谁看家？』贾政道：『听见你母亲说是你媳妇病了，不能去，就叫他在家的；你珍大嫂子又说你媳妇病得利害，还叫四丫头陪着，带领了几个丫头婆子，照看上屋里才好。』贾琏听见了，心想：『珍大嫂子与四丫头两个不合，所以撺掇着不叫他去。若是上头就是他照应，也是不中用的。我们那一个又病着，也难照应。』（回扣前文惜春对尤氏的冷言冷语。已经无人可用了。）想了一回，回贾政道：『老爷且歇歇儿，等进去商量定了再回。』贾政点了点头，贾琏便进去了。

谁知此时鸳鸯哭了一场，想到：『自己跟着老太太一辈子，身子也没有着落。如今大老爷虽不在家，大太太的这样行为，我也瞧不上。老爷是不管事的人，以后便「乱世为王」起来了。我们这些人不是要叫他们掇弄了么。（「乱世为王」的预计，说明鸳鸯很有政治经验。怕就怕这个「乱世为王」，奸雄并起，好人逊退。原有的权力机制解体，新兴的权力机制尚未形成，于是黑道上的人物必兴。）谁收在屋子里，谁配小子，我是受不得这样折磨的，倒不如死了干净。但是一时怎么样的个死法呢？」一面想，一面走回到老太太的套间屋内。刚跨进门，只见灯光惨淡，隐隐有个女人拿着汗巾子，好似要上吊的样子。鸳鸯也不惊怕，心里想道：「这一个是谁？和我的心事一样，倒比我走在头里了。」便问道：「你是谁？咱们两个人是一样的心，要死一块儿死。」那个人也不答言。鸳鸯走到跟前一看，并不是这屋子的丫头。再仔细一看，觉得冷气侵入，一时就不见了。鸳鸯呆了一呆，退出在炕沿上坐下，细细一想，道：「哦！是了。这是东府里的小蓉大奶奶啊！他早死了的了，怎么到这里来？必是来叫我来了。他怎么又上吊呢？」（既是复习，又是诠解。告诉你可卿是怎样死的。）想了一想，道：「是了，必是教给我死的法儿。」

「红」中人物多，事件多，「主线」即中心情节及其发展并不体现在一件事上。这样，各回各段，各人各事之间，就需要建立一种内在的、因果的与非因果的、重演式或对照式、预兆式或应验式、映比与互为解释式的联系。这种联系似松实紧，似漫实聚。鸳鸯自尽前后看到可卿的鬼魂（或警幻之妹）便是一例。这样的联系是不可能事先都安排计划好了的。这样的联系奠基于生活的整体性与作家的概括力，这样的联系直接出自写作过程中的灵机，神来之笔。从前者说，这是半生经验，十年辛苦的结晶；从后者说，这是文章天成，妙手偶得。

鸳鸯这么一想，邪侵入骨，便站起来，一面哭，一面开了妆匣，取出那年铰的一绺头发，揣在怀里，就在身

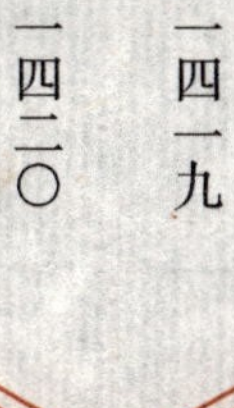

上解下一条汗巾，按着秦氏方才比的地方拴上。（有所照应，粘合整体。）自己又哭了一回，听见外头人客散去，恐有人进来，急忙关上屋门，然后端了一个脚凳，自己站上，把汗巾拴上扣儿，套在咽喉，便把脚凳蹬开。可怜咽喉气绝，香魂出窍。正无投奔，只见秦氏隐隐在前，鸳鸯的魂魄疾忙赶上，说道：「蓉大奶奶，你等等我。」那个人道：「我并不是什么蓉大奶奶，乃警幻之妹可卿是也。」（此秦氏即蓉大奶奶乎，非乎？红学家争论甚多。这也是亦是亦非。在人间，是。离开人间，非。「红」中类似处理甚多。）鸳鸯道：「你明明是蓉大奶奶，怎么说不是呢？」那人道：「这也有个缘故，待我告诉你，你自然明白了。我在警幻宫中，原是个钟情的首坐，管的是风情月债；降临尘世，自当为第一情人，引这些痴情怨女，早早归入情司，所以该当悬梁自尽的。因我看破凡情，超出情海，归入情天，所以太虚幻境「痴情」一司，竟自无人掌管。今警幻仙子已经将你补入，替我掌管此司，所以命我来引你前去的。」（这句话闪烁其词，简古难索，另有含义。）鸳鸯的魂道：「我是个最无情的，怎么算我是个有情的人呢？」那人道：「你还不知道呢。世人都把那淫欲之事当作「情」字，所以作出伤风败化的事来，还自谓风月多情，无关紧要。不知「情」之一字，喜怒哀乐未发之时，便是个性；喜怒哀乐已发，便是情了。至于你我这个情，正是未发之情，就如那花的含苞一样。（含苞未放是美化的说法，是不肯正视封建努力对人特别是女性的性爱的压制的诡辩。应该说是她们的青春、她们的情感与欲望被扼杀在未萌之时。）欲待发泄出来，这情就不为真情了。」鸳鸯的魂听了，点头会意，便跟了秦氏可卿而去。

降临尘世，自当为第一情人——秦可卿是也。她是性爱的象征。一重身份不等于另一重身份，一重身份却又能转化为另一重身份。这就是警幻之妹的可卿与秦氏的异同。这也是贾宝玉与他脖子上挂的那块玉以及那块玉所由生的大荒山……的那块无材补天的石头直

到神瑛侍者与甄宝玉之间的异同。这也是凤姐与戏曲说书中两次出现的『衣锦荣归』的王熙凤之间的异同。假做真时真亦假，这是《红楼梦》的基本的本体论、方法论与艺术论。）

这里琥珀辞了灵，听邢王二夫人分派看家的人，想着去问鸳鸯明日怎样坐车，便在贾母的外间屋里找了一遍，不见，便找到套间里头。刚到门口，见门儿掩着，从门缝里望里看时，只见灯光半明不灭的，影影绰绰，心里害怕，又不听见屋里有什么动静，便走回来说道：『这蹄子跑到那里去了？』劈头见了珍珠，说：『你见鸳鸯姐姐来着没有？』珍珠道：『我也找他，太太们等他说话呢。必在套间里睡着了罢？』琥珀道：『我瞧了，屋里没有。那灯也没人夹蜡花儿，漆黑怪怕的，我没进去。如今咱们一块儿进去，瞧看有没有。』琥珀等进去，正夹蜡花，珍珠说：『谁把脚凳撂在这里，几乎绊我一跤。』说着，往上一瞧，唬的『嗳哟』一声，身子往后一仰，『咕咚』的栽在琥珀身上。琥珀也看见了，便大嚷起来，只是两只脚挪不动。外头的人也都听见了，跑进来一瞧，大家嚷着，报与邢王二夫人知道。

王夫人宝钗等听了，都哭着去瞧。邢夫人道：『我不料鸳鸯倒有这样志气！（活着时逼鸳鸯，死了夸鸳鸯。奴才的最光辉的前途就是为主子而死。残忍已极！虚伪已极！）快叫人去告诉老爷。』只有宝玉听见此信，便唬的双眼直竖。袭人等慌忙扶着说道：『你要哭就哭，别憋着气。』宝玉死命的才哭出来了，心想：『鸳鸯这样一个人，偏又这样死法。』又想：『实在天地间的灵气，独钟在这些女子身上了。他算得了死所，我们究竟是一件浊物，还是老太太的儿孙，谁能赶得上他？』复又喜欢起来。（宝玉亦为之喜欢，混账混蛋之至。）那时，宝钗听见宝玉大哭了出来了，及到跟前，

见他又笑。袭人等忙说：『不好了，又要疯了！』宝钗道：『不妨事，他有他的意思。』宝玉听了，更喜欢宝钗的话：『到是他还知道我的心，别人那里知道！』正在胡思乱想，贾政等进来，着实的嗟叹着说道：『好孩子！不枉老太太疼他一场。』即命贾琏：『出去吩咐人连夜买棺盛殓，明日便跟着老太太的殡送出，也停在老太太棺后，全了他的心志。』（常常是肯定死亡而不是肯定生活。这样的价值观很惊人，却又实难实现。太不人道了！）贾琏答应出去，这里命人将鸳鸯放下，停放里间屋内。平儿也知道了，过来同袭人莺儿等一干人都哭的哀哀欲绝。内中紫鹃也想起自己终身，一无着落，恨不跟了林姑娘去，又全了主仆的恩义，又得了死所。（主仆恩义云云，是永远套在仆、奴脖子上的枷锁。）如今空悬宝玉屋内，虽说宝玉仍是柔情密意，究竟算不得什么，于是更哭得哀切。

邢、王夫人，贾政、宝玉，各种人等，交口称赞鸳鸯之死。作者也在称赞鸳鸯之死。一些评者也称赞。反抗呀，不屈服呀什么的。却忽略了这种死的悲剧性，这种死的愚昧（殉主）、残酷、无价值的一面。更忽略了这死的行为中的『节烈』意识的作用。不愿被收房，不愿配小子，这里有一种视贞操为至高无上的观点，有一种视性关系为对女子的折磨、糟践至少是玷污的陈腐观点，有一种愚忠殉主的观点，更有一种对于与自己同阶级的『小子』们的蔑视。盛赞鸳鸯殉主的人，是否也自觉不自觉地有这样的观念呢？

王夫人即传了鸳鸯的嫂子进来，叫他看着入殓，遂与邢夫人商量了，在老太太项内赏了他嫂子一百两银子，还说等闲了将鸳鸯所有的东西俱赏他们。他嫂子磕了头出去，反喜欢说：『真真的我们姑娘是个有志气的，有造化的！又得了好名声，又得了好发送。』（鸳鸯嫂子也和宝玉一样地喜欢。）傍边一个婆子说道：『罢呀，嫂子！这会子你把一个活姑娘卖了一百银便这么喜欢了；那时候儿给了大老爷，你还不知得多少银钱呢，你该更得意了。』（这

个婆子是谁？那么多有名有姓的灵秀人物，没有一个人说得出这个『婆子』的话来么？所有的灵秀郑重清高人物，都沉浸在鸳鸯的人肉筵所引起的盛赞与狂喜之中了么？）一句话戳了他嫂子的心，便红了脸走开了。刚走到二门上，见林之孝带了人抬进棺材来了，他只得也跟进去，帮着盛殓，假意哭嚎了几声。

贾政因他为贾母而死，要了香来，上了三炷，作了个揖，说：『他是殉葬的人，不可作丫头论，你们小一辈都该行个礼。』宝玉听了，喜不自胜，走上来恭恭敬敬磕了几个头。贾琏想他素日的好处，也要上来行礼，被邢夫人说道：『有了一个爷们便罢了，不要折受他不得超生。』（邢夫人是报为贾赦讨妾碰壁的『一箭之仇』。）贾琏就不便过来了。宝钗听了，心中好不自在，便说道：『我原不该给他行礼，但只老太太去世，咱们都有未了之事，不敢胡为。他肯替咱们尽孝，咱们也该托托他，好好的替咱们伏侍老太太西去，也少尽一点子心哪！』（凭什么鸳鸯要去替你们公子小姐『伏侍老太太』？活着当奴婢还不够，死了也要当奴婢吗？）说着，扶了莺儿走到灵前，一面奠酒，那眼泪早扑簌簌流下来了。奠毕，拜了几拜，狠狠的哭了他一场。（难得宝钗与宝玉保持一致。本来一直是宝钗教育宝玉、调理宝玉的模式。到了最混蛋的时候，两人就一致了。）众人也有说宝玉的两口子都是傻子，也有说他两个心肠儿好的，也有说他知礼的，贾政反倒合了意。一面商量定了看家的，仍是凤姐惜春，余者都遣去伴灵。一夜谁敢安眠？一到五更，听见外面齐人。到了辰初发引，贾政居长，衰麻哭泣，极尽孝子之礼。灵柩出了门，便有各家的路祭，一路上的风光，不必细述。走了半日，来至铁槛寺安灵，所有孝男等俱应在庙伴宿，不提。

且说家中林之孝带领拆了棚，将门窗上好，打扫净了院子，派了巡更的人，到晚打更上夜。只是荣府规例：一交二更，三门掩上，男人便进不去了，里头只有女人们查夜。凤姐虽隔了一夜，渐渐的神气清爽了些，只是那

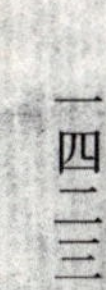

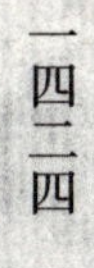

里动得？只有平儿同着惜春各处走了一走，吩咐了上夜的人，也便各自归房。

从众口交赞的反应看来，鸳鸯必死无疑，鸳鸯有何面目再活下去，鸳鸯不死，何以对人？（袭人后来就没死，所以受到古往今来的无数评者的嘲骂。）这一节写的是『反人性、反人类、反人道主义的胜利』。

却说周瑞的干儿子何三，去年贾珍管事之时，因他和鲍二打架，被贾珍打了一顿，撵在外头，终日在赌场过日。（照应前文。）近知贾母死了，必有些事情领办，岂知探了几天的信，一些也没有想头，便嗳声叹气的回到赌场中，闷闷的坐下。那些人便说道：『老三，你怎么样，不下来捞本了么？』何三道：『倒想要捞一捞呢，就只没有钱么。』那些人道：『你到你们周大太爷那里去了几日，府里的钱，你也不知弄了多少来，又来和我们装穷儿了。』何三道：『你们还说呢，他们的金银不知有几百万，只藏着不用。明儿留着，不是火烧了，就是贼偷了，他们才死心呢！』那些人道：『你又撒谎。他家抄了家，还有多少金银？』何三道：『你们还不知道呢。抄去的是撂不了的。如今老太太死，还留了好些金银，他们一个也不使，都在老太太屋里搁着，等送了殡回来才分呢。』（虽然捕风捉影，确实事出有因。）

内中有一个人听在心里，掷了几骰，便说：『我输了几个钱，也不翻本儿了，睡去了。』说着，便走出来，拉了何三道：『老三，我和你说句话。』何三跟他出来。那人道：『你这样一个伶俐人，这样穷，为你不服这口气。』何三道：『我命里穷，可有什么法儿呢？』那人道：『你才说荣府的银子这么多，为什么不去拿些使唤使

唤？』何三道：『我的哥哥！他家的金银虽多，你我去白要一二钱，他们给咱们吗？』那人笑道：『他不给咱们，咱们就不会拿吗？』（这也是要求公正。虽然是最原始最粗鄙乃至歪曲了的要求公正。）

何三听了这话里有话，问道：『依你说，怎么样拿呢？』那人道：『我说你没有本事，若是我，早拿了来了。』何三道：『你有什么本事？』那人便轻轻的说道：『你若要发财，你就引个头儿。我有好些朋友，都是通天的本事，不要说他们送殡去了，家里剩下几个女人，就让有多少男人也不怕。（这就写到黑社会了。这也是对于『红』前八十回的重要横向扩展，重要补充。『黑手党』，『红』已有之。）只怕你没这么大胆子罢咧！』何三道：『什么敢不敢！你打谅我怕那个干老子吗？我是瞧着干妈的情儿上头，才认他做干老子罢咧。他又算了人了？你刚才的话，就只怕弄不来，倒招了饥荒。他们那个衙门不熟？别说拿不来，倘或拿了来，也要闹出来的。』那人道：『这么说，你的运气来了！我的朋友，还有海边上的呢，现今都在这里。看个风头，等个门路，若到了手，你我在这里也无益，不如大家下海去受用，不好么？你若撂不下你干妈，咱们索性把你干妈也带了去，大家伙儿乐一乐，好不好？』何三道：『老大，你别是醉了罢？这些话混说的什么！』说着，拉了那人走到个僻静地方，两个人商量了一回，各人分头而去，暂且不提。

（这就是『乱世为王』。这就是鸳鸯所预见的情势的一端。内贼外贼，到处是贼！）

且说包勇自被贾政吆喝，派去看园，贾母的事出来，也忙了，不曾派他差使。他也不理会，总是自做自吃，闷来睡一觉，醒时便在园里耍刀弄棍，倒也无拘无束。那日贾母一早出殡，他虽知道，因没有派他差事，他任意闲游，

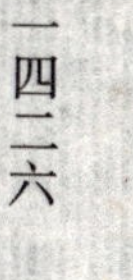

只见一个女尼带了一个道婆来到园内腰门那里扣门。包勇走来，说道：『女师父，那里去？』道婆道：『今日听得老太太的事完了，不见四姑娘送殡，想必是在家看家。想他寂寞，我们师父来瞧他一瞧。』包勇道：『主子都不在家，园门是我看的，请你们回去罢。要来呢，等主子们回来了再来。』（贾家已经没有顶用的忠仆了。幸亏有一个包勇，还是从甄家引进的。甄家能有包勇这样的忠仆，证明甄家毕竟比贾家强。）婆子道：『你是那里来的个黑炭头？也要管起我们的走动来了。』包勇道：『我嫌你们这些人，我不叫你们来，你们有什么法儿？』（包勇及许多正人君子嫌女尼，这里头也有弗洛伊德。）婆子生了气，嚷道：『这都是反了天的事了！连老太太在日还不能拦我们的来往走动呢，你是那里的这么个横强盗，这样没法没天的？我偏要打这里走！』说着，便把手在门环上狠狠的打了几下。

妙玉已气的不言语，正要回身便走，不料里头看二门的婆子听见有人拌嘴是的，开门一看，见是妙玉，已经回身走去，明知必是包勇得罪了走了。近日婆子们都知道上头太太们四姑娘都亲近得很，恐他日后说出门上不放进他来，那时如何耽得住，赶忙走来，说：『不知师父来，我们开门迟了。我们四姑娘在家里，还正想师父呢，快请回来。看园的小子是个新来的，他不知咱们的事。回来回了太太，打他一顿，撵出去就完了。』妙玉虽是听见，总不理他。那经得看腰门的婆子赶上，再四央求，后来才说出怕自己担不是，几乎急的跪下。妙玉无奈，只得随了那婆子过来。包勇见这般光景，自然不好再拦，气得瞪眼叹气而回。（一个正经男人看到一个僧不僧俗不俗既美丽又别扭的女尼，只有瞪眼叹气而已。还能怎么样呢？这样的『女儿』是违背人性的，确有招人嫌恶的道理。不是嫌恶本人，而是嫌恶这种人的尴尬角色。）

这里妙玉带了道婆走到惜春那里，道了恼，叙些闲话。说起：『在家看家，只好熬个几夜，但是二奶奶病着，

一个人又闷又是害怕。能有一个人在这里，我就放心，如今里头一个男人也没有。今儿你既光降，肯伴我一宵，咱们下棋说话儿，可使得么？』妙玉本自不肯，见惜春可怜，又提起下棋，一时高兴应了。打发道婆回去取了他的茶具衣褥，命侍儿送了过来，大家坐谈一夜。惜春欣幸异常，便命彩屏去开上年蠲的雨水，预备好茶。（呼应第四十一回『品茶栊翠庵』。转眼又过七十回矣。）那妙玉自有茶具。那道婆去了不多一时，又来了一个侍者，带了妙玉日用之物。惜春亲自烹茶。两人言语投机，说了半天。那时已是初更时候，彩屏放下棋枰，两人对弈。惜春连输两盘，妙玉又让了四个子儿，惜春方赢了半子。（小小『红楼』之梦中，已有许多输赢。）

这时已到四更，天空地阔，万籁无声。妙玉道：『我到五更须得打坐一回，我自有人伏侍，你自去歇息。』惜春犹是不舍，见妙玉要自己养神，不便扭他。正要歇去，猛听得东边上屋内上夜的人一片声喊起。惜春那里的老婆子们也接着声嚷道：『了不得了！有了人了！』唬得惜春彩屏等心胆俱裂，听见外头上夜的男人便声喊起来。妙玉道：『不好了！必是这里有了贼了。』正说着这里不敢开门，便掩了灯光，在窗户眼内往外一瞧，只见几个男人站在院内，唬得不敢作声，回身摆着手，轻轻的爬下来，说：『了不得！外头有几个大汉站着。』说犹未了，又听得房上响声不绝，便有外头上夜的人进来吆喝拿贼。一个人说道：『上屋里的东西都丢了，并不见人。东边有人去了，咱们到西边去。』惜春的老婆子听见有自己的人，便在外间屋里说道：『这里有好些人上了房了。』上夜的都道：『你瞧！这可不是吗？』大家一齐嚷起来。只听房上飞下好些瓦来，众人都不敢上前。（灾变也是立体的，多重的，全方位的。生离死别，衰败疾病，乖异神鬼，一直到飞贼强盗，天灾人祸，不一而足。）

正在没法，只听园里腰门一声大响，打进门来，见一个梢长大汉，手执木棍，众人唬得藏躲不及。听得那人喊说道：『不要跑了他们一个！你们都跟我来。』这些家人听了这话，越发唬得骨软筋酥，连跑也跑不动了。只见这人站在当地，只管乱喊。家人中有一个眼尖些的看出来了——你道是谁？正是甄家荐来的包勇。这些家人不觉胆壮起来，便颤巍巍的说道：『有一个走了！有的在房上呢。』包勇便向地下一扑，耸身上房，追赶那贼。（居然还带点武侠气。）这些贼人明知贾家无人，先在院内偷看惜春房内，见有个绝色女尼，（『绝色女尼』云云，说明妙玉招了贼。这几个字涉嫌不敬，流露了作者内心的某种看法。）便顿起淫心，又欺上屋俱是女人，且又畏惧，正要踹进门去，因听外面有人进来追赶，所以贼众上房。见人不多，还想抵挡，猛见一人上房赶来，那些贼见是一人，越发不理论了，便用短兵抵住。那经得包勇用力一棍打去，将贼打下房来。那些贼飞奔而逃，从园墙过去，包勇也在房上追捕。岂知园内早藏下了几个在那里接赃，已经接过好些。见贼伙跑回，大家举械保护。见追的只有一人，明欺寡不敌众，反倒迎上来。包勇一见生气，道：『这些毛贼！敢来和我斗斗！』（贾家有焦大，甄家有包勇。也可以调剂一下气氛，衬托一下其他无用无勇阴阴损损的奴才。没有忠臣正像没有奸臣一样，会使世界寂寞。）那伙贼便说：『我们有一个伙计被他们打倒了，不知死活，咱们索性抢了他出来。』这里包勇闻声即打。那伙贼便轮起器械，四五个人围住包勇，乱打起来。外头上夜的人也都仗着胆子只顾赶了来。众贼见斗他不过，只得跑了。包勇还要赶时，被一个箱子一绊，立定看时，心想东西未丢，众贼远逃，也不追赶，便叫众人将灯照看。地下只有几个空箱，叫人收拾，他便欲跑回上房。因路径不熟，走到凤姐那边，见里面灯烛辉煌，便问：『这里有贼没有？』里头的平儿战兢兢的说道：（也

（……只是战兢兢而已。『匪』是对腐烂的贵族的必然惩罚。）『这里也没开门，只听上屋叫喊，说有贼呢，你到那里去罢。』包勇正摸不着路头，遥见上夜的人过来，才跟着一齐寻到上屋。见是门开户启，那些上夜的在那里啼哭。

一时，贾芸林之孝都进来了，见是失盗，大家着急。进内查点，老太太的房门大开，将灯一照，锁头拧折。进内一瞧，箱柜已开。（对财富的攫取和积累，最后落了个这等下场！）便骂那些上夜女人道：『你们都是死人么？贼人进来，你们不知道的么？』那些上夜的人啼哭着说道：『我们几个人轮更上夜，是管二三更的，我们都没有住脚，前后走的。他们是四更五更，我们的下班儿，只听见他们喊起来，并不见一个人。赶着照看，不知什么时候把东西早已丢了。（洗劫也是一次又一次的。）求爷们问管四五更的。』林之孝道：『你们个个要死！回来再说，咱们先到各处看去。』上夜的男人领着走到尤氏那边，门儿关紧。有几个接音说：『唬死我们了。』林之孝问道：『这里没有丢东西？』里头的人方开了门，道：『这里没丢东西。』林之孝带着人走到惜春院内，只听得里面说道：『了不得了！唬死了姑娘了。醒醒儿罢！』（势在庞然大物，势去不堪一击。）林之孝便叫人开门，问是怎样了。里头婆子开门，说：『贼在这里打仗，把姑娘都唬坏了。亏得妙师父和彩屏才将姑娘救醒。东西是没失。』林之孝道：『贼人怎么打仗？』上夜的男人说：『幸亏包大爷上了房把贼打跑了去了，还听见打倒了一个人呢。』包勇道：『在园门那里呢。』

贾芸等走到那边，果见一人躺在地下死了，细细一瞧，好像是周瑞的干儿子。众人见了咤异，派一个人看守着，又派两个人照看前后门，俱仍旧关锁着。林之孝便叫人开了门，报了营官，立刻到来查勘贼迹，是从后夹道上屋的，（后夹道云云，其实不若写作『西边穿堂』——当年贾瑞受骗呆了一夜的地方。或者写作『房后小过道』……（贾瑞第二夜所在地）也可。）

到了西院房上，见那瓦破碎不堪，一直过了后园去了。众上夜的齐声说道：『这不是贼，是强盗。』营官着急道：『并非明火执仗，怎算是盗？』上夜的道：『我们赶贼，他在房上掷瓦，我们不能近前，幸亏我们家的姓包的上房打退。赶到园里，还有好几个贼竟与姓包的打仗，打不过姓包的，才都跑了。』营官道：『可又来，若是强盗，倒打不过你们的人么？不用说了，你们快查清了东西，递了失单，我们报就是了。』（贼已如此，如入无人之境，何况强盗？封建贵族又是十分脆弱的，怕贼更怕盗。）

贾芸等又到上屋，已见凤姐扶病过来，惜春也来。贾芸请了凤姐的安，问了惜春的好，大家查看失物。因鸳鸯已死，琥珀等又送灵去了，那些东西都是老太太的，并没见数，只用封锁，如今打从那里查去？（丧葬时不肯动用，如今奉送给贼人。又是白辛苦一场，为人作嫁！）众人都说：『箱柜东西不少，如今一空。偷的时候不小，那些上夜的人管做什么的？况且打死的贼是周瑞的干儿子，必是他们通同一气的。』凤姐听了，气的眼睛直瞪瞪的，便说：『把那些上夜的女人都拴起来，交给营里审问。』众人叫苦连天，跪地哀求。不知怎生发放，并失去的物有无着落，下回分解。（九十余回以来，不是写死就是写病，不是异兆就是虚惊，不是抄家就是混乱，这样的内容连续起来，非常难写。现在又加上飞贼强盗，也算一个小高潮，换了一下口味，写得也算难能可贵。难为续作者了。）

一边是殉主忠奴，一边是欺天狗仆。然而，这是站在主子一边说的。如果站在奴仆一边，鸳鸯的死又有什么价值？贼人偷窃，固不可取，不义之财，取之又有何『狗彘』之有？至少并不比贾府的更『狗彘』。鸳鸯、包勇、周瑞家的干儿子，这三个该怎样比较研究和进行范式选择呢？只剩一个引进的仆人包勇，还能尽点责，惨矣！众多主子的特点是欺软怕硬，平日何等威风，真见了『黑手党』

可有还手之力么？

写到狗彘奴，写到一伙强盗，反而产生了开阔感，令人喘出一口气。否则只有老爷少爷、太太小姐与他们的奴婢，而且是愿意殉主的忠诚奴婢，太憋气了。

第一百十二回　活冤孽妙尼遭大劫　死雠仇赵妾赴冥曹

话说凤姐命捆起上夜众女人，送营审问，女人跪地哀求。林之孝同贾芸道：『你们求也无益。老爷派我们看家，没有事是造化；如今有了事，上下都耽不是，谁救得你？若说是周瑞的干儿子，连太太起，里里外外的都不干净。』凤姐喘吁吁的说道：『这都是命里所招，和他们说什么？带了他们去就是了。那丢的东西，你告诉营里去说：「实在是老太太的东西，问老爷们才知道。等我们报了去，请了老爷们回来，自然开了失单送来。」文官衙门里我们也是这样报。』（被盗了，能不能报？敢不敢报？应如何报？自古就有这样的问题。）贾芸林之孝答应出去。

惜春一句话也没有，只是哭道：『这些事，我从来没有听见过，为什么偏偏碰在咱们两个人身上！明儿老爷太太回来，叫我怎么见人？说把家里交给咱们，如今闹到这个分儿，还想活着么？』凤姐道：『咱们愿意吗？现在有上夜的人在那里。』惜春道：『你还能说，况且你又病着；我是没有说的。这都是我大嫂子害了我的，他撺掇着太太派我看家的。如今我的脸搁在那里呢？』（惜春遇事只考虑自己、自己的脸，抄检大观园时如此，现在亦如此。是清高、洁身自好，还是绝顶自私？）说着，又痛哭起来。凤姐道：『姑娘，你快别这么想。若说没脸，大家一样的。你若

这么糊涂想头，我更搁不住了。』

二人正说着，只听见外头院子里有人大嚷的说道：『我说那三姑六婆是再要不得的！我们甄府里从来是一概不许上门的。不想这府里倒不讲究这个呢！昨儿老太太的殡才出去，那个什么庵里的尼姑死要到咱们这里来。我吆喝着不准他们进来，腰门上的老婆子倒骂我，死央及叫放那姑子进去。那腰门子一会儿开着，一会儿关着，不知做什么。我不放心，没敢睡，听到四更，这里就嚷起来。我来叫门倒不开了。我听见声儿紧了，打开了门，见西边院子里有人站着，我便赶走打死了。我今儿才知道，这是四姑奶奶的屋子，那个姑子就在里头，今儿天没亮溜出去了。可不是那姑子引进来的贼么？』（灾难已经来临，各种矛盾、偏见、新仇、旧恨全都浮到表面，一副乱作一团的情状。）

包勇是个好人（按当时观点）。他口口声声大骂『姑子』。这种腔调似与前八十回不甚一致。妙玉判词云：『欲洁何曾洁？云空未必空……』这是很对的，本来就没有绝对的洁与空。尤其不应把哪怕是隐忍心中的男女之情看作不洁。妙玉无什么不洁，也没有义务非得空。妙玉无罪！妙玉可怜！最可怜是正统如包勇者，反视妙玉为邪恶的化身。身为女性，动辄为邪恶、不洁。遁入空门亦难逃劫难。

平儿等听着，都说：『这是谁这么没规矩？姑娘奶奶都在这里，敢在外头混嚷吗。』凤姐道：『你听见说他甄府里，别就是甄家荐来的那个厌物罢。』（忠过了头，便成了厌物。此点极重要！）惜春听得明白，更加心里过不的。

凤姐接着问惜春道：『那个人混说什么姑子？你们那里弄了个姑子住下了？』惜春便将妙玉来瞧他，留着下棋守夜的话说了。凤姐道：『是他么，他怎么肯这样？是再没有的话。但是叫这讨人嫌的东西嚷出来，老爷知道了，

也不好。」（凤姐则仍为妙玉说话。）惜春愈想愈怕，站起来要走。凤姐虽说坐不住，又怕惜春害怕，弄出事来，只得叫他先别走：「且看着人把偷剩下的东西收起来，再派了人看着，才好走呢。」平儿道：「咱们不敢收，等衙门里来了，踏看了才好收呢。咱们只好看着。但只不知老爷那里有人去了没有？」凤姐道：「你叫老婆子问去。」一回进来说：「林之孝是走不开，家下人要伺候查验的，再有的是说不清楚的，已经芸二爷去了。」（芸二爷与何三等不过一丘之貉。）凤姐点头，同惜春坐着发愁。

且说那伙贼原是何三等邀的，偷抢了好些金银财宝接运出去，见人追赶，知道都是那些不中用的人，要往西边屋内偷去，在窗外看见里面灯光底下两个美人：一个姑娘，一个姑子。那些贼那顾性命，顿起不良，就要踹进来，因见包勇来赶，才获赃而逃，只不见了何三。大家且躲人窝家，到第二天打听动静，知是何三被他们打死，已经报了文武衙门，这里是躲不住的，便商量趁早归入海洋大盗一处去；若迟了，通缉文书一行，关津上就过不去了。（老爷、大人们有老爷、大人的路子，靠皇恩，靠排场……瘪三、游民们有瘪三、游民的路子，偷、抢、凶杀……到底谁更怕谁呢？那时已有「海洋大盗」的活动？）

内中一个人胆子极大，便说：「咱们走是走，我就只舍不得那个姑子，长的实在好看。不知是那个庵里的雏儿呢？」一个人道：「啊呀！我想起来了，必就是贾府园里的什么栊翠庵里的姑子。不是前年外头说他和他们家什么宝二爷有原故，后来不知怎么又害起相思病来了，请大夫吃药的，就是他！」（姑子长姑子短，阿Q也是这种观念。「和尚摸得，我为何摸不得？」透露出一些风流信息。婉转地揭露妙玉「丑闻」。）那一个人听了，说：「咱们今日躲一天，叫咱们

大哥借钱置办些买卖行头。明儿亮钟时候，陆续出关。你们在关外二十里坡等我。」众贼议定，分赃俵散不提。

且说贾政等送殡到了寺内，安厝毕，亲友散去。贾政在外厢房伴灵，邢王二夫人等在内，一宿无非哭泣。到了第二日，重新上祭。正摆饭时，只见贾芸进来，在老太太灵前磕了个头，忙忙的跑到贾政跟前，跪下请了安，喘吁吁的将昨夜被盗，将老太太上房的东西都偷去，包勇赶贼，打死了一个，已经呈报文武衙门的话说了一遍。贾政听了发怔。邢王二夫人等在里头也听见了，都唬得魂不附体，并无一言，只有啼哭。（终于到了你们魂不附体的时候了。）贾政过了一会子，问：「失单怎样开的？」贾芸回道：「家里的人都不知道，还没有开单。」贾政道：「还好。咱们动过家的，若开出好的来，反耽罪名。快叫琏儿。」（不敢据实呈报。种种弊病，正好被匪盗们所利用。）

贾琏领了宝玉等去别处上祭未回，贾政叫人赶了回来。贾琏听了，急得直跳，一见芸儿，也不顾贾政在那里，便把贾芸狠狠的骂了一顿，说：「不配抬举的东西！我将这样重任托你，押着人上夜巡更，你是死人么？亏你还有脸来告诉！」说着，望贾芸脸上啐了几口。贾芸垂手站着，不敢回一言。贾政道：「你骂他也无益了。」贾琏然后跪下，说：「这便怎么样？」贾政道：「也没法儿，只有报官缉贼。但只是一件，老太太遗下的东西，咱们都没动。你说要银子，我想老太太死得几天，谁忍得动他那一项银子。（你不忍吗？何三忍得。）原打谅完了事，算了账，还人家；再有的，在这里和南边置坟产的。再有东西也没见数儿。如今说文武衙门要失单，若将几件好的东西开上，恐有碍；若说金银若干，衣饰若干，又没有实在数目，谎开使不得。倒可笑你如今竟换了一个人了，为什么这样料理不开？你跪在这里是怎么样呢！」（你何时料理开过？你何时料理过？）贾琏也不敢答言，只得站起来就走。贾政

又叫道：『你那里去？』贾琏又跪下道：『赶回家去料理清楚，再来回。』贾政哼了一声，贾琏把头低下。贾政道：『你进去回了你母亲，叫了老太太的一两个丫头去，叫他们细细的想了，开单子。』

贾琏心里明知老太太的东西都是鸳鸯经管，他死了问谁？就问珍珠，他们那里记得清楚？只不敢驳回，连连的答应了。（你瞒我我瞒你，最后都变成了无头公案。）起来走到里头，邢王二夫人又埋怨了一顿，叫贾琏快回去问他们这些看家的说：『明儿怎么见我们？』贾琏也只得答应了出来，一面命人套车，预备琥珀等进城，自己骑上骡子，跟了几个小厮，如飞的回去。贾芸也不敢再回贾政，斜签着身子慢慢的溜出来，骑上了马，来赶贾琏。一路无话。

只追究或逃避责任，不采取亡羊补牢的措施。抄家后如此，失盗后亦如此。所以紧接着活劫妙玉，盗匪入贾府如入无人之境。可以取物，可以取人，探囊之劳而已。

到了家中，林之孝请了安，一直跟了进来。贾琏到了老太太上屋，见了凤姐惜春在那里，心里又恨，又说不出来，便向林之孝道：『衙门里瞧了没有？』林之孝自知有罪，便跪下回道：『文武衙门都瞧了，来踪去迹也看了，尸也验了。』贾琏吃惊道：『又验什么尸？』林之孝又将包勇打死的伙贼似周瑞的干儿子的话回了贾琏。贾琏道：『叫芸儿！』贾芸进来，也跪着听话。贾琏道：『你见老爷时，怎么没有回周瑞的干儿子做了贼被包勇打死的话？』贾芸说道：『上夜的人说像他的，恐怕不真，所以没有回。』（贾芸这样做是为了保护王家。前文已说：『若说是……干儿子，连太太起，里里外外的都不干净。』）贾琏道：『好糊涂东西！你若告诉了，我就带了周瑞来一认，可不就知道了。』林之孝回道：『如今衙门里把尸首放在市口儿招认去了。』贾琏道：『这又是个糊涂东西！谁家的

人做了贼，被人打死，要偿命么！』林之孝回道：『这不用人家认，奴才就认得是他。』贾琏听了想道：『是啊，我记得珍大爷那一年要打的可不是周瑞家的么？』林之孝回说：『他和鲍二爷打架来着，爷还见过的呢。』

贾琏听了更生气，便要打上夜的人。林之孝哀告道：『请二爷息怒。那些上夜的人，派了他们，还敢偷懒？只是爷府上的规矩，三门里一个男人不敢进去的，就是奴才们，里头不叫也不敢进去。（防男女之事更胜于防盗。）奴才在外同芸哥儿刻刻查点，见三门关的严严的，外头的门一重没有开，那贼是从后夹道子来的。』贾琏道：『里头上夜的女人呢？』林之孝将分更上夜、奉奶奶的命捆着、等爷审问的话回了。贾琏又问：『包勇呢？』林之孝说：『又往园里去了。』贾琏便说：『去叫来。』小厮们便将包勇带来，说：『还亏你在这里，若没有你，只怕所有房屋里的东西抢了去了呢。』（贾琏说了一句表扬包勇的话。此外再无一句人话。）包勇也不言语。惜春恐他说出那话，心下着急。凤姐也不敢言语。只见外头说：『琥珀姐姐等回来了。』大家见了，不免又哭一场。

贾琏叫人检点偷剩下的东西，只有些衣服、尺头、钱箱未动，余者都没有了。贾琏心里更加着急，想着外头的棚杠银、厨房的钱，都没有付给，明儿拿什么还呢？（屋漏更遭连夜雨！）便呆想了一会。只见琥珀等进去，哭了一会，见箱柜开着，所有的东西怎能记忆，便胡乱想猜，虚拟了一张失单，命人即送到文武衙门。贾琏复又派人上夜。凤姐惜春各自回房。贾琏不敢在家安歇，也不及埋怨凤姐，竟自骑马赶出城外。这里凤姐又恐惜春短见，又打发了丰儿过去安慰。（既为之叹息，又觉得活该。）

邢夫人防范王熙凤，勒着不让动贾母的东西。贾政因孝而不让动。王夫人因死官僚而不动。最后便宜了盗匪。内乱便利了外侮。

窝里斗的结果只能如是。这也是螳螂捕蝉，黄雀在后，乃至是一种物竞天择的淘汰。

天已二更。不言这里贼去关门，众人更加小心，谁敢睡觉？且说伙贼一心想着妙玉，知是孤庵女众，不难欺负。到了三更夜静便拿了短兵器，带了些闷香，跳上高墙。远远瞧见栊翠庵内灯光犹亮，便潜身溜下，藏在房头僻处。等到四更，见里头只有一盏海灯，妙玉一人在蒲团上打坐。歇了一会，便嗳声叹气的说道：『我自元墓到京，原想传个名的，为这里请来，不能又栖他处。昨儿好心去瞧四姑娘，反受了这蠢人的气，夜里又受了大惊。今日回来，那蒲团再坐不稳，只觉肉跳心惊。』（心魔已生，在劫难逃。）因素常一个打坐的，今日又不肯叫人相伴。岂知到了五更，寒颤起来。正要叫人，只听见窗外一响，想起昨晚的事，更加害怕，不免叫人。岂知那些婆子都不答应。自己坐着，觉得一股香气透入囟门，便手足麻木，不能动弹，口里也说不出话来，心中更自着急。只见一个人拿着明晃晃的刀进来。此时妙玉心中却是明白，只不能动，想是要杀自己，索性横了心，倒也不怕。那知那个人把刀插在背后，腾出手来，将妙玉轻轻的抱起，轻薄了一会子，便拖起背在身上。此时妙玉心中只是如醉如痴。可怜一个极洁极净的女儿，被这强盗的闷香熏住，由着他掇弄了去了。（妙玉为什么是这样结果？宝玉——雪芹对众女孩儿是极尊重的，是不会用这等秽笔写一个他所称颂的女孩子的。）

按照作者的可能的观点，『红』众女性中，『金陵十二钗』中，妙玉的下场最惨，最为不堪。『红』中金桂之死、赵姨娘之死，下场丑恶。但她们是作者厌恶的人物。其他人，即使是晴雯、司棋、金钏，以及迎春之死，也没有这样被污辱。袭人虽为人诟病，仍有所终。通过包勇之口大骂姑子，此其一。通过坏人之口讲妙玉的（至少在当时近乎）丑闻，此其二。遭劫之前已经心猿意马，修炼不下去乃至发作精神病，此其三。这些都于妙玉的形象有损。不能排除续作者对这一人物的腹诽。她造作得不近人情，故有此下场。

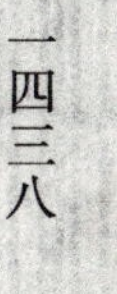

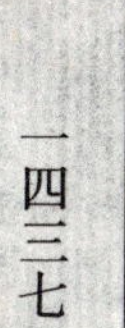

却说这贼背了妙玉，来到园后墙边，搭了软梯，爬上墙，跳出去了，外边早有伙计弄了车辆在园外等着。那人将妙玉放倒在车上，反打起官衔灯笼，叫开栅栏，急急行到城门，正是开门之时。门官只知是有公干出城的，也不及查诘。（谁知门官与他们有什么猫儿腻？）赶出城去，那伙贼加鞭，赶到二十里坡，和众强徒打了照面，各自分头奔南海而去。不知妙玉被劫，或是甘受污辱，还是不屈而死，不知下落，也难妄拟。（居然或有甘受污辱的可能。依作者观点，不是还不如尤三姐吗？当然也有另一种可能，即妙玉的这些命运安排，违背了曹公原意，表达了续作者的包勇心态。最『清洁』的人落一个最不『清洁』的下场，个中有什么含义？）

妙玉，既非小姐，又非丫头，既非情场角逐者，又非佛门子弟。这样尴尬的角色，这样不堪的下场——依当时的观点，这种下场比金桂、赵姨娘亦不如。这种设计实在太狠辣了。『红』并不太讲善有善报，恶有恶报，但也不是完全不讲，更不是故意讲天无眼，地无公。为何妙玉下场若此？是否表露了作者潜意识中对这种假佛门以行之的不伦不类的反感？还有一个芳官，下落不明，估计下场比妙玉好不了。

只言栊翠庵一个跟妙玉的女尼，他本住在静室后面，睡到五更，听见前面有人声响，只道妙玉打坐不安。后来听见有男人脚步，门窗响动，欲要起来瞧看，只是身子发软，懒怠开口，又不听见妙玉言语，只睁着两眼听着。到了天亮，终觉得心里清楚，披衣起来，叫了道婆预备妙玉茶水，他便往前面来看妙玉。岂知妙玉的踪迹全无，门窗大开。心里咤异，昨晚响动，甚是疑心，说：『这样早，他到那里去了？』走出院门一看，有一个软梯靠墙立着，地下还有一把刀鞘，一条搭膊，便道：『不好了，昨晚是贼烧了闷香了！』（她怎么这样内行？）急叫人起来查看，庵门仍是紧闭。那些婆子侍女们都说：『昨夜煤气熏着了，今早都起不起来，这么早，叫我们做什么？』那女尼道：『师父不知那里去了。』众人道：『在观音堂打坐呢。』女尼道：『你们还做梦呢！你来瞧瞧。』（一乱再乱三乱，以至于不堪。）

众人不知，也都着忙，开了庵门，满园里都找到了，想来或是到四姑娘那里去了。众人来叩腰门，又被包勇骂了一顿。众人说道：『我们妙师父昨晚不知去向，所以来找。求你老人家叫开腰门，问一问来了没来就是了。』包勇道：『你们师父引了贼来偷我们，已经偷到手了，他跟了贼去受用去了。』众人道：『阿弥陀佛，说这些话的，防着下割舌地狱！』包勇生气道：『胡说！你们再闹，（一骂再骂，成见如此之深。包勇有些变态了。包勇比阿Q还要主观偏激。）我就要打了。』众人陪笑央告道：『求爷叫开门，我们瞧瞧；若没有，再不敢惊动你太爷了。』包勇道：『你不信，你去找，若没有，回来问你们。』包勇说着，叫开腰门。众人且找到惜春那里。

惜春正是愁闷，惦着『妙玉清早去后，不知听见我们姓包的话了没有，只怕又得罪了他，以后总不肯来。我的知己是没有了。况我现在实难见人，父母早死，嫂子嫌我。头里有老太太，到底还疼我些；如今也死了，留下我孤苦伶仃，如何了局？』（老太太一死，整个格局打乱，多人有活不下去之感。）想到：『迎春姐姐折磨死了，史姐姐守着病人，三姐姐远去，这都是命里所招，不能自由。独有妙玉如闲云野鹤，无拘无束。我能学他，就造化不小了。（造化岂止不小！）但我是世家之女，怎能遂意？这回看家，大耽不是，还有何颜？在这里，又恐太太们不知我的心事，将来的后事，如何呢？』想到其间，便要把自己的青丝铰去，要想出家。彩屏等听见，急忙来劝，岂知已将一半头发铰去。彩屏愈加着忙，说道：『一事不了，又出一事，这可怎么好呢？』

正在吵闹，只见妙玉的道婆来找妙玉。彩屏问起来由，先唬了一跳，说：『是昨日一早去了没来。』里面惜春听见，急忙问道：『那里去了？』道婆们将昨夜听见的响动，被煤气熏着，今早不见妙玉，庵内软梯刀鞘的话说了一遍。惜春惊疑不定，想起昨日包勇的话来，必是那些强盗看见了他，昨晚抢去了，也未可知。（莫非包勇有预见？还是……）但是他素来孤洁的很，岂肯惜命？『怎么你们都没听见么？』众人道：『怎么不听见？只是我们这些人都是睁着眼，连一句话也说不出。必是那贼子烧了闷香。（麻醉学有这样发达吗？）妙姑一人，想也被贼闷住，不能言语，况且贼人必多，拿刀弄杖威逼着，他还敢声喊么？』

正说着，包勇又在腰门那里嚷说：『里头快把这些混账的婆子赶了出来罢！快关腰门！』（包勇果然忠——正统得令人生厌。）彩屏听见，恐耽不是，只得叫婆子出去，叫人关了腰门。惜春于是更加苦楚。无奈彩屏等再三以礼相劝，仍旧将一半青丝笼起。大家商议：『不必声张。就是妙玉被抢，也当作不知，且等老爷太太回来再说。』惜春心里的死定下一个出家的念头，暂且不提。（惜春出家也要分几步走。用分步办法说服读者接受匪夷所思的事态发展，是『红』惯用方法。）

且说贾琏回到铁槛寺，将到家中查点了上夜的人，开了失单报去的话回了。贾政道：『怎样开的？』贾琏便将琥珀所记得的数目单子呈出，并说：『这上头元妃赐的东西，已经注明；还有那人家不大有的东西，不便开上，等侄儿脱了孝，出去托人细细的缉访，少不得弄出来的。』贾政听了合意，就点头不言。

贾琏进内见了邢王二夫人，商量着：『劝老爷早些回家才好呢，不然，都是乱麻是的。』邢夫人道：『可不是？我们在这里也是惊心吊胆。』贾琏道：『这是我们不敢说的。还是太太的主意，二老爷是依的。』邢夫人便与王夫人商议妥了。

过了一夜，贾政也不放心，打发宝玉进来说：『请太太们今日回家，过两三日再来。家人们已经派定了，里头请太太们派人罢。』邢夫人派了鹦哥等一干人伴灵，将周瑞家的等人派了总管，其余上下人等都回去。一时忙乱套车备马。贾政等在贾母灵前辞别，众人又哭了一场。（死一回人守一回灵，守一回灵出一回事。）

都起来正要走时，只见赵姨娘还爬在地下不起。周姨娘打谅他还哭，便去拉他。岂知赵姨娘满嘴白沫，眼睛直竖，把舌头吐出，反把家人唬了一大跳。（凑什么热闹！）贾环过来乱嚷。赵姨娘醒来说道：『我是不回去的，跟着老太太回南去！』（这个『我』是鸳鸯。）众人道：『老太太那用你来？』赵姨娘道：『我跟了一辈子老太太，大老爷还不依，弄神弄鬼的来算计我。（这个『我』是赵姨娘。）我想仗着马道婆出出我的气，银子白花了好些，也没有弄死一个，如今我回去了，又不知谁来算计我。』众人听见，早知是鸳鸯附在他身上，邢王二夫人都不言语瞅着。（鸳鸯为何要附赵的体？二人无亲无故，无冤无仇。鬼魂附体里有迷信，也有心理学，还有小说的包袱儿，可惜这里写得太粗。）只有彩云等代他央告道：『鸳鸯姐姐，你死是自己愿意的，与赵姨娘什么相干？放了他罢。』见邢夫人在这里，也不敢说别的。赵姨娘道：『我不是鸳鸯，他早到仙界去了。我是阎王差人拿我去的，要问我为什么和马婆子用魇魔法的案件。』说着，便叫：『好琏二奶奶！你在这里老爷面前少顶一句儿罢，我有一千日的不好，还有一天的好呢。好二奶奶，亲二奶奶！并不是我要害你，我一时糊涂，听了那个老娼妇的话。』（姑妄言之，姑妄听之。不经之言，不经写之。）

正闹着，贾政打发人进来叫环儿。婆子们去回说：『赵姨娘中了邪了，三爷看着呢。』贾政道：『没有的事。我们先走了。』于是爷们等先回。这里赵姨娘还是混说，一时救不过来。邢夫人恐他又说出什么来，便说：『多派几个人在这里瞧着他，咱们先走。到了城里，打发大夫出来瞧罢。』（邢夫人怕什么？也要中邪了么？）王夫人本嫌他，也打撒手儿。宝钗本是仁厚的人，虽想着他害宝玉的事，心里究竟过不去，背地里托了周姨娘在这里照应。周姨娘也是个好人，便应承了。李纨说道：『我也在这里罢。』王夫人道：『可以不必。』于是大家都要起身。贾环急忙道：『我也在这里吗？』王夫人啐道：『糊涂东西！你姨妈的死活都不知，你还要走吗？』（王夫人处处偏心。如是尊重赵、环的亲子关系，为何二十回凤姐教训赵说贾环『现是主子……横竖有教导他的人，与你什么相干』！）贾环就不敢言语了。宝玉道：『好兄弟！你是走不得的，我进了城，打发人来瞧你。』说毕，都上车回家。寺里只有赵姨娘、贾环、鹦哥等人。

贾政邢夫人等先后到家，到了上房，哭了一场。林之孝带了家下众人请了安，跪着。贾政喝道：『去罢！明日问你。』凤姐那日发晕了几次，竟不能出接，只有惜春见了，觉得满面羞惭。邢夫人也不理他，王夫人仍是照常，李纨、宝钗拉着手说了几句话。独有尤氏说道：『姑娘，你操心了，倒照应了好几天。』惜春一言不答，只紫涨了脸。（也是报一箭之仇。呼应七十四回『避嫌隙杜绝宁国府』。）宝钗将尤氏一拉，使了个眼色，尤氏等各自归房去了。贾政略略的看了一看，叹了口气，并不言语。到书房席地坐下，叫了贾琏、贾蓉、贾芸吩咐了几句话。宝玉要在书房来陪贾政。

贾政道：『不必。』兰儿仍跟他母亲。一宿无话。

次日，林之孝一早进书房跪着，贾政将前后被盗的事问了一遍，并将周瑞供了出来，又说：『衙门拿住了鲍二，身边搜出了失单上的东西，现在夹讯，要在他身上要这一伙贼呢。』贾政听了，大怒道：『家奴负恩，引贼偷窃家主，真是反了！』立刻叫人到城外将周瑞捆了，送到衙门审问。林之孝只管跪着，不敢起来。贾政道：『你还跪着做什么？』林之孝道：『奴才该死，求老爷开恩。』正说着，赖大等一干办事家人上来请了安，呈上丧事账簿。贾政道：『交给琏二爷算明了来回。』吆喝着林之孝起来出去了。

贾琏一腿跪着，在贾政身边说了一句话。贾政把眼一瞪道：（除了瞪眼，你还会做什么？）『胡说！老太太的事，银两被贼偷去，难道就该罚奴才拿出来么？』贾琏红了脸，不敢言语，站起来也不敢动。贾政道：『你媳妇怎么样？』贾琏又跪下，说：『看来是不中用了。』贾政叹口气道：『我不料家运衰败一至如此！』（问题不在于料不料，而在于你究竟吸收了什么教训。）况且环哥儿他妈尚在庙中病着，也不知是什么症候。你们知道不知道？』贾琏也不敢言语。贾政道：『传出话去，叫人带了大夫瞧瞧去。』贾琏即忙答应着，出来，叫人带了大夫到铁槛寺去瞧赵姨娘。未知死活，下回分解。（赵姨娘是俗鄙之人，故有俗鄙下场，妙玉是『左』性子的清高人，亦有俗鄙下场。但『红』又非俗鄙之书，该怎样写她们二人才能保持格调呢？）

在贾母尚在，凤姐掌权，至少表面上家道正常运作期间，出现的黑暗与不义是金钏、晴雯、司棋、芳官等人的遭遇，是赦、珍、琏、蓉、蟠的胡作非为。而当贾府被抄、贾母亡故、凤姐玩不转、家道崩溃混乱以后，连妙玉的存在都不可能，出现的是狗奴猖狂、盗贼横行、坏人坏事肆无忌惮、纷纷出笼，大崩溃、大动乱、大丑恶，比原来的黑暗和不义更沉沦和荒谬。

第一百十三回　忏宿冤凤姐托村妪　释旧憾情婢感痴郎

话说赵姨娘在寺内得了暴病，见人少了，更加混说起来，唬的众人发怔，就有两个女人搀着赵姨娘双膝跪在地下，说一回，哭一回。有时爬在地下叫饶说：『打杀我了！红胡子的老爷，我再不敢了！』有一时双手合着，也是叫疼。眼睛突出，嘴里鲜血直流，头发披散。人人害怕，不敢近前。那时又将天晚，赵姨娘的声音只管阴哑起来了，居然鬼嚎一般，无人敢在他跟前，只得叫了几个有胆量的男人进来坐着。赵姨娘一时死去，隔了些时，又回过来，整整的闹了一夜。到了第二天，也不言语，只装鬼脸，自己拿手撕开衣服，露出胸膛，好像有人剥他的样子。可怜赵姨娘虽说不出来，其痛苦之状，实在难堪。（极尽其丑恶，以显报应。）

赵姨娘的病也是精神疾患。贾府的压制机制，足可以培养造就一大批精神病人。贾府是精神病培养基。统观『红』对赵姨娘的描写，似乎略无好意。是一个漫画式的畸形人物。但实际生活中确又有这样的人，文化素质与道德素质极低，出口行事，俱是耍丑，忿忿不平，争宠夺利，鼠目寸光，挑拨是非，恶意待人，拉拉扯扯，气急败坏，愚而诈而毒而狠……实际又成为笑柄，成为众人嘲弄乃至侮慢的对象，成为可怜虫。如果说赵姨娘也是一个典型，这着实令人悲哀。

正在危急，大夫来了，也不敢诊脉，只嘱咐：『办后事罢。』说了，起身就走。那送大夫的家人再三央告，说：『请老爷看看脉，小的好回禀家主。』那大夫用手一摸，已无脉息。（又死了一个。）贾环听了，然后大哭起来。众人只顾贾环，谁料理赵姨娘。只有周姨娘心里苦楚，想到：『做偏房侧室的下场头，不过如此！况他还有儿子的，我将来死起来，还不知怎样呢！』于是反哭的悲切。（居然有同情赵的，难得。整个『红』，只此一句讲了赵的可怜处境。）

且说那人赶回家去回禀了贾政，即派家人去照例料理，陪着环儿住了三天，一同回来。那人去了，这里一人传十，十人传百，都知道赵姨娘使了毒心害人，被阴司里拷打死了。（既是咎由自取，又是众人成见。）又说是『琏二奶奶只怕也好不了，怎么说琏二奶奶告的呢？』（一个没死完，一个已传凶信。生前一个恨一个，一个整一个，莫非这矛盾还要带到阴司去么？）这些话传到平儿耳内，甚是着急，看着凤姐的样子，实在是不能好的了。况且贾琏近日并不似先前的恩爱，（先前恩爱么？）本来事也多，竟像不与他相干的。平儿在凤姐跟前只管劝慰。又想着邢王二夫人回家几日，只打发人来问问，并不亲身来看，凤姐心里更加悲苦。贾琏回来也没有一句贴心的话。

（赵被阴司拷打，是琏二奶奶告的。这说明琏二奶奶亦不久于人世。妙极。一个是那样威风、精明、得势，一个是那样卑微、愚蠢、丑陋，却又扭结在一起，共存共亡。斗争的结果有时是与敌共亡。并非一定是一个战胜一个，一个吃掉一个。）

凤姐此时只求速死，心里一想，邪魔悉至。（各有各的欠账。）只见尤二姐从房后走来，渐近床前，说：『姐姐，许久的不见了。做妹妹的想念的很，要见不能，如今好容易进来见见姐姐，姐姐的心机也用尽了。咱们的二爷糊涂，也不领姐姐的情，反倒怨姐姐作事过于苛刻，把他的前程去了，叫他如今见不得人。我替姐姐气不平。』凤姐恍惚说道：『我如今也后悔我的心忒窄了。妹妹不念旧恶，还来瞧我。』（如今也后悔？倒不是死不悔改。）平儿在旁听见，

说道：『奶奶说什么？』凤姐一时苏醒，想起尤二姐已死，必是他来索命。被平儿叫醒，心里害怕，又不肯说出，只得勉强说道：『我神魂不定，想是说梦话。给我捶捶。』平儿上去捶着，见个小丫头子进来，说是『刘老老来了，婆子们带着来请奶奶的安。』（有仇的报仇，有恩的报恩。刘老老来的是时候。）平儿急忙下来，说：『在那里呢？』小丫头子说：『他不敢就进来，还听奶奶的示下。』平儿听了点头，想凤姐病里必是懒待见人，便说道：『奶奶现在养神呢，暂且叫他等着。你问他来有什么事么？』小丫头子说道：『他们问过了，没有事。说知道老太太去世了，因没有报，才来迟了。』小丫头子说着，凤姐听见，便叫：『平儿，你来。人家好心来瞧，不要冷淡人家。你去请了刘老老进来，我和他说说话儿。』平儿只得出来请刘老老这里坐。凤姐刚要合眼，又见一个男人一个女人走向炕前，就像要上炕似的。凤姐急忙便叫平儿，说：『那里来了一个男人，跑到这里来了！』连叫两声，只见丰儿小红赶来，说：『奶奶要什么？』凤姐睁眼一瞧，不见有人，心里明白，不肯说出来，（心里明白了什么了？）便问丰儿道：『平儿这东西那里去了？』丰儿道：『不是奶奶叫去请刘老老去了么？』凤姐定了一会神，也不言语。

（恶人将死，心必不安么？中国传统小说是这样写的，死前见到平生所害仇人索命等等，屡见不鲜。事实恐怕未必。不要相信良心的惩罚。宁可相信历史——时间的惩罚。）

只见平儿同刘老老带了一个小女孩儿进来，说：『我们姑奶奶在那里？』平儿引到炕边。刘老老便说：『请姑奶奶安。』凤姐睁眼一看，不觉一阵伤心，说：『老老，你好？怎么这时候才来？你瞧你外孙女儿也长的这么大了。』刘老老看着凤姐骨瘦如柴，神情恍惚，（各人死法不同，死前的感受、状态不同，续作者是下了功夫的。）心里也就悲惨起来，

说：『我的奶奶！怎么这几个月不见，就病到这个分儿。我糊涂的要死，怎么不早来请姑奶奶的安！』便叫青儿给姑奶奶请安。青儿只是笑。凤姐看了，倒也十分喜欢，便叫小红招呼着。刘老老道：『我们屯乡里的人，不会病的，若一病了，就要求神许愿，从不知道吃药的。（有病求神不吃药，也是一种文化——反文化传统。）我想姑奶奶的病不要撞着什么了罢？』平儿听着那话不在理，便在背地里扯他。刘老老会意，便不言语。那里知道这句话倒合了凤姐的意，扎挣着说：『老老，你是有年纪的人，说的不错。你见过的赵姨娘也死了，你知道么？』刘老老咤异道：『阿弥陀佛，好端端一个人，怎么就死了？我记得他也有一个小哥儿，这便怎么样呢？』（也是病急乱投医。可见刘老老对赵无恶感，亦无意介入贾府内部矛盾。故云：『好端端……小哥儿……』）平儿道：『这怕什么？他还有老爷太太呢。』刘老老道：『姑娘，你那里知道，不好死了，是亲生的，隔了肚皮子是不中用的。』这句话又招起凤姐的愁肠，呜呜咽咽的哭起来了。众人都来解劝。

巧姐儿听见他母亲悲哭，便走到炕前，用手拉着凤姐的手，也哭起来。凤姐一面哭着，道：『你见过了老老了没有？』巧姐儿道：『没有。』凤姐道：『你的名字还是他起的呢，就和干娘一样。你给他请个安。』（刘老老的到来似乎是为了凤姐的托孤送终。）巧姐儿便走到跟前，刘老老忙拉着道：『阿弥陀佛，不要折杀我了！巧姑娘，我一年多不来，你还认得我么？』巧姐儿道：『怎么不认得？那年在园里见的时候，我还小。前年你来，我还合你要隔年的蝈蝈儿，你也没有给我，必是忘了。』刘老老道：『好姑娘，我是老糊涂了。若说蝈蝈儿，我们屯里多得很，只是不到我们那里去。若去了，要一车也容易。』（预示。屯里有广阔的世界，何止蝈蝈儿。）凤姐道：『不然，

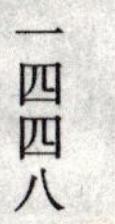

你带了他去罢。』（凤姐的预见与战略决策，仍属一流。）刘老老笑道：『姑娘这样千金贵体，绫罗裹大了的，吃的是好东西，到了我们那里，我拿什么哄他玩，拿什么给他吃呢？这倒不是坑杀我了么？』说着，自己还笑，他说：『那么着，我给姑娘做个媒罢。我们那里虽说是屯乡里，也有大财主人家，几千顷地，几百牲口，银子钱亦不少，只是不像这里有金的，有玉的。姑奶奶是瞧不起这样人家。我们庄家人瞧着这样大财主，也算是天上的人了。』（进一步预示。退一步天高地阔。）凤姐道：『你说去，我愿意就给。』（凤姐临死，对豪门已看透、绝望了。）刘老老道：『这是玩话儿罢咧。放着姑奶奶这样，大官大府的人家只怕还不肯给，那里肯给庄家人？就是姑奶奶肯了，上头太太们也不给。』巧姐因他这话不好听，便走了去和青儿说话。两个女孩儿倒说得上，渐渐的就熟起来了。

凤姐一生强梁奸计，唯对刘老老颇有善意。遂有此报。『红』固与一般劝善惩恶小说大不相同，某些环节上，不会背离劝善之意。能以善恶报应解释者便这样解释之。不能这样解释者，便以色空、四大皆空、好就是了解释之。后者是大道理，前者是小道理。

这里平儿恐刘老老话多搅烦了凤姐，便拉了刘老老说：『你提起太太来，你还没有过去呢。我出去叫人带了你去见见，也不枉来这一趟。』刘老老便要走。凤姐道：『忙什么？你坐下，我问你：近来的日子还过的么？』刘老老千恩万谢的说道：『我们若不仗着姑奶奶，』说着，指着青儿说：『他的老子娘都要饿死了。如今虽说是庄家人苦，家里也挣了好几亩地，又打了一眼井，种些菜蔬瓜果。一年卖的钱也不少，尽够他们嚼吃的了。这两年，姑奶奶还时常给些衣服布匹，在我们村里算过得的了。（常与老老为善。）阿弥陀佛，前日他老子进城，听见姑奶奶这里动了家，我就几乎唬杀了；亏得又有人说，不是这里，我才放心。后来又听见说这里老爷升了，我又喜欢，

就要来道喜，为的是满地的庄稼，来不得。昨日又听见说老太太没有了。我在地里打豆子，听见了这话，唬的连豆子都拿不起来了，就在地里狠狠的哭了一大场。我合女婿说：「我也顾不得你们了，不管真话谎话，我是要进城瞧瞧去的。」我女儿女婿也不是没良心的，听见了也哭了一回子。（当然是有良心的。比贾雨村、孙绍祖辈强似万倍！）今儿天没亮，就赶着我进城来了。我也不认得一个人，没有地方打听，一径来到后门，见是门神都糊了，我这一唬又不小。进了门，找周嫂子，再找不着，撞见一个小姑娘，说：「周嫂子他得了不是了，撵了。」我又等了好半天，遇见了熟人，才得进来。不打谅姑奶奶也是这么病。」（面目全非。周瑞家的一笔带过。）说着，又掉下泪来。

平儿等着急，也不等他说完，拉着就走，说：『你老人家说了半天，口干了，咱们喝碗茶去罢。』拉着刘老老到下房坐着。青儿在巧姐儿那边。刘老老道：『茶倒不要，好姑娘，叫人带了我去请太太的安，哭哭老太太去罢。』平儿道：『你不用忙，今儿也赶不出城的了。方才我是怕你说话不防头，招的我们奶奶哭，所以催你出来的。别思量。』刘老老道：『阿弥陀佛，姑娘是你多心，我知道。倒是奶奶的病怎么好呢？』平儿道：『你瞧去妨碍不妨碍？』刘老老道：『说是罪过，我瞧着不好。』

正说着，又听凤姐叫呢。平儿及到床前，凤姐又不言语了。平儿正问丰儿，贾琏进来，向炕上一瞧，也不言语，走到里间，气哼哼的坐下。只有秋桐跟了进去，倒了茶，殷勤一回，不知嘁嘁喳喳的说些什么。回来，贾琏叫平儿来问道：『奶奶不吃药么？』平儿道：『不吃药，怎么样呢？』贾琏道：『我知道么？你拿柜子上的钥匙来罢。』（没有好气。贾琏要为凤姐擦屁股，能气顺么？）平儿见贾琏有气，又不敢问，只得出来凤姐耳边说了一声。凤姐不言语。

王蒙评点

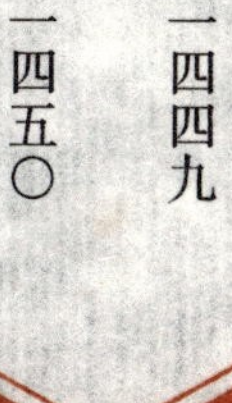

平儿便将一个匣子搁在贾琏那里就走。贾琏道：『有鬼叫你吗！你搁着叫谁拿呢？』平儿忍气打开，取了钥匙，开了柜子，便问道：『拿什么？』贾琏道：『咱们有什么吗？』平儿气得哭道：『有话明白说，人死了也愿意！』贾琏道：『这还要说么！头里的事是你们闹的；如今老太太的还短了四五千银子，老爷叫我拿公中的地账弄银子，你说有么？外头拉的账不开发，使得么？谁叫我应这个名儿！只好把老太太给我的东西折变去罢了，你不依么？』平儿听了，一句不言语，将柜里东西搬出。只见小红过来，说：『平姐姐快走！奶奶不好呢。』平儿也顾不得贾琏，急忙过来。见凤姐用手空抓，平儿用手攥着哭叫。贾琏也过来一瞧，把脚一跺道：『若是这样，是要我的命了！』说着掉下泪来。（终于落泪。贾琏固然不好，比珍、蓉辈好一点，比凤也没有那么阴狠。）丰儿进来说：『外头找二爷呢。』贾琏只得出去。

这里凤姐愈加不好，丰儿等不免哭起来。巧姐听见赶来。刘老老也急忙走到炕前，嘴里念佛，捣了些鬼，果然凤姐好些。（说是『捣了些鬼』，却是正话反说。）一时王夫人听了丫头的信，也过来了，先见凤姐安静些，心下略放心。见了刘老老，便说：『刘老老，你好？什么时候来的？』刘老老便说：『请太太安。』也不及细说，只言凤姐的病，讲究了半天。彩云进来说：『老爷请太太呢。』王夫人叮咛了平儿几句话，便过去了。

人的经历多了，沧桑见多了，就会在事后为各种人与事编织出『关系网』：此与彼有缘，彼与此有冤，此是彼的预兆，彼是此的应验，愈想愈神奇，愈联系愈有理，鬼使神差，阴差阳错，无心插柳柳成荫，冥冥中一切似乎都有定数，一饮一啄，毫厘不爽。这是一种文化心理，这是一种心理机制，这是一种事后营建的抽象结构，这是极好的小说脉络。当然，这不是科学。却也不是迷信，除非你硬把它看成了科学。

凤姐闹了一回，此时又觉清楚些。见刘老老在这里，心里信他求神祷告，便把丰儿等支开，叫刘老老坐在头边，告诉他心神不宁，如见鬼怪的样。刘老老便说我们屯里什么菩萨灵，什么庙有感应。凤姐道：『求你替我祷告。要用供献的银钱，我有。』（到了拯救自己的灵魂的时候了。）便在手腕上褪下一只金镯子来交给他。刘老老道：『姑奶奶，不用那个。我们村庄人家许了愿，好了，花上几百钱就是了，那用这些？就是我替姑奶奶求去，也是许愿，等姑奶奶好了，要花什么，自己去花罢。』凤姐明知刘老老一片好心，不好勉强，只得留下，说：『老老，我的命交给你了。我的巧姐儿也是千灾百病的，也交给你了。』刘老老顺口答应，便说：『这么着，我看天气尚早，还赶得出城去，我就去了。明儿姑奶奶好了，再请还愿去。』凤姐因被众冤魂缠绕害怕，巴不得他就去，便说：『你若肯替我用心，我能安稳睡一觉，我就感激你了。你外孙女儿，叫他在这里住下罢。』刘老老道：『庄家孩子没有见过世面，没的在这里打嘴，我带他去的好。』凤姐道：『这就是多心了。既是咱们一家，这怕什么？虽说我们穷了，多一个人吃饭也不碍什么。』刘老老见凤姐真情，落得叫青儿住几天，省了家里的嚼吃。只怕青儿不肯，不如叫他来问问，若是他肯，就留下。于是和青儿说了几句。青儿因与巧姐儿玩得熟了，巧姐又不愿他去，青儿又愿意在这里，（有缘。）刘老老便吩咐了几句，辞了平儿，忙忙的赶出城去，不提。（刘老老的到来与白话，总算给了凤姐一些安慰。这也就不白施恩周济她了。）

（『红』的作者、续者当然不是民粹主义者，但他们的笔下，特别是到了此回，还是给人以劳动者身心更健康的展示。想当初老老与贾母见面时，贾母是怎样的富贵荣华，直如云端真神，而刘老老被林黛玉讥为『母蝗虫』……如今，贾母黛玉俱已作古，贾家风雨飘摇，而刘老老健在如常，并能施恩贾府。贱者健，贵者脆弱，不堪风雨。不管有多少不理想，刘老老还得算一个健康力量。她毕竟是贾府体制之外的一个庄户人。）

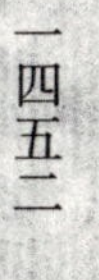

且说栊翠庵原是贾府的地址，因盖省亲园子，将那庵圈在里头，向来食用香火，并不动贾府的钱粮。今日妙玉被劫，那女尼呈报到官，一则候官府缉盗的下落，二则是妙玉基业，不便离散依旧住下，不过回明了贾府。那时贾府的人虽都知道，只为贾政新丧，且又心事不宁，也不敢将这些没要紧的事回禀。只有惜春知道此事，日夜不安。渐渐传到宝玉耳边，说：『妙玉被贼劫去。』又有的说：『妙玉凡心动了，跟人而走。』（再次做不利于妙玉的渲染。）宝玉听得，十分纳闷：『想来必是被强徒抢去。这个人必不肯受，一定不屈而死。』但是一无下落，心下甚不放心，每日长嘘短叹，还说：『这样一个人，自称为「槛外人」，怎么遭此结局！』（槛外亦无处容身。）又想到：『当日园中何等热闹。自从二姐姐出阁以来，死的死，嫁的嫁，我想他一尘不染，是保得住的了，岂知风波顿起，比林妹妹死的更奇！』由是一而二，二而三，追思起来，想到《庄子》上的话，虚无缥缈，人生在世，难免风流云散，不禁的大哭起来。（呼应前文二十二回『听曲文宝玉悟禅机』。）袭人等又道是他的疯病发作，百般的温柔解劝。

宝钗初时不知何故，也用话箴规。怎奈宝玉抑郁不解，又觉精神恍惚。宝钗想不出道理，再三打听，方知妙玉被劫，不知去向，也是伤感。只为宝玉愁烦，便用正言解释，因提起：『兰儿自送殡回来，虽不上学，闻得日夜攻苦。他是老太太的重孙。老太太素来望你成人，老爷为你日夜焦心，你为闲情痴意，遭塌自己，我们守着你，如何是个结果？』说得宝玉无言可答，过了一回，才说道：『我那管人家的闲事？只可叹咱们家的运气衰颓。』宝钗道：『可又来，老爷太太原为是要你成人，接续祖宗遗绪，你只是执迷不悟，如何是好？』（到此时还讲这些一般化的道理，确实无用亦无味。）宝玉听来，话不投机，便靠在桌上睡去。宝钗也不理他，叫麝月等伺候着，自己都去睡了。

宝玉见屋里人少，想起：『紫鹃到了这里，我从没合他说句知心的话儿，冷冷清清撂着他，我心里甚不过意。他呢，又比不得麝月秋纹，我可以安放得的。想起从前我病的时候，他在我这里伴了好些时，如今他的那一面小镜子还在我这里，他的情意却也不薄了。如今不知为什么，见我就是冷冷的。若说为我们这一个呢，他是合林妹妹最好的，我看他待紫鹃也不错。我也不在家的日子，紫鹃原也与他有说有讲的；到我来了，紫鹃便走开了。想来自然是为林妹妹死了，我便成了家的原故。嗳，紫鹃，紫鹃！你这样一个聪明女孩儿，难道连我这点子苦处都看不出来么！』因又一想：『今晚他们睡的睡，做活的做活，不如趁着这个空儿，我找他去，看他有什么话？倘或我还有得罪之处，便赔个不是也使得。』想定主意，轻轻的走出了房门，来找紫鹃。（千头万绪，滴水不漏，同时写到哪里都能扣住前八十回的人物、脉络、伏笔，做到无一字无来历，无一句无出处，即使这个结构安排，也非寻常文人能做的。）

那紫鹃的下房也就在西厢里间。宝玉悄悄的走到窗下，只见里面尚有灯光，便用舌头舐破窗纸，往里一瞧，见紫鹃独自挑灯，又不是做什么，呆呆的坐着。宝玉便轻轻的叫道：『紫鹃姐姐，还没有睡么？』紫鹃听了，唬了一跳，怔怔的半日，才说：『是谁？』宝玉道：『是我。』紫鹃听着似乎是宝玉的声音，便问：『是宝二爷么？』

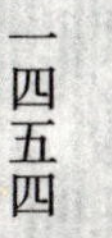

宝玉在外轻轻的答应了一声。紫鹃问道：『你来做什么？』宝玉道：『我有一句心里的话要和你说说，你开了门，我到你屋里坐坐。』（到此时方与紫鹃谈论，似嫌晚了些。但前边太挤，挤不进去。）紫鹃停了一会儿，说道：『二爷有什么话，天晚了，请回罢，明日再说罢。』宝玉听了，寒了半截。自己还要进去，恐紫鹃未必开门；欲要回去，这一肚子的隐情，越发被紫鹃这一句话勾起。无奈说道：『我也没有多余的话，只问你一句。』紫鹃道：『既是一句，就请说。』宝玉半日反不言语。

紫鹃在屋里，不见宝玉言语，知他素有痴病，恐怕一时实在抢白了他，勾起他的旧病，倒也不好了，因站起来，细听了一听，又问道：『是走了，还是傻站着呢？有什么又不说，尽着在这里怄人。已经怄死了一个，难道还要怄死一个么？这是何苦来呢！』说着，也从宝玉舐破之处往外一张，见宝玉在那里呆听。紫鹃不便再说，回身剪了剪烛花。忽听宝玉叹了一声道：『紫鹃姐姐，你从来不是这样铁心石肠，怎么近来连一句好好儿的话都不和我说了？我固然是个浊物，不配你们理我，但只我有什么不是，只望姐姐说明了，那怕姐姐一辈子不理我，我死了倒作个明白鬼呀！』紫鹃听了，冷笑道：『二爷就是这个话呀，还有什么？若就是这个话呢，我们姑娘在时，我也跟着听俗了；若是我们有什么不好处呢，我是太太派来的，二爷倒是回太太去，左右我们丫头们更算不得什么了！』（犹如二十八回起始时所写宝玉与黛玉的谈话。果然『听俗了』。黛玉虽死而紫鹃犹在，紫鹃的分量不轻。）说到这里，那声儿便哽咽起来，说着，又醒鼻涕。宝玉在外知他伤心哭了，便急的跺脚道：『这是怎么说！我的事情，你在这里几个月，还有什么不知道的？就便别人不肯替我告诉你，难道你还不叫我说，叫我憋死了不成！』说着，也呜咽起来了。

（宝玉的感慨都不算疯，是人人可能有的感慨。只限于感慨悲叹，就是钻了牛角，走火入魔了。聚终有散，生终有死，固然。散前死前，非散非死，你做什么呢？）

宝玉正在这里伤心，忽听背后一个人接言道：『你叫谁替你说呢？谁是谁的什么？自己得罪了人，自己央及呀，人家赏脸不赏在人家，何苦来拿我们这些没要紧的垫喘儿呢。』这一句话把里外两个人都吓了一跳。你道是谁？原来却是麝月。宝玉自觉脸上没趣。只见麝月又说道：『到底是怎么着？一个赔不是，一个人又不理。你倒是快快儿的央及呀。嗳！我们紫鹃姐姐也就太狠心了，外头这么怪冷的，人家央及了这半天，总连个活动气儿也没有。』又向宝玉道：『刚才二奶奶说了，多早晚了，打谅你在那里呢，你却一个人站在这房檐底下做什么？』（宝玉是被包围被重点监护着的。有此等监护包围，便有随后的一走了之。）紫鹃里面接着说道：『这可是什么意思呢？早就请二爷进去，有话明日说罢。这是何苦来！』（永远不得一诉。）

宝玉还要说话，因见麝月在那里，不好再说别的，只得一面同麝月走回，一面说道：『罢了，罢了！我今生今世也难剖白这个心了！惟有老天知道罢了！』（可又有什么可诉的呢？这节有一定可读性，但涉嫌俗气。）说到这里，那眼泪也不知从何处来的，滔滔不断了。麝月道：『二爷，依我劝你死了心罢。白陪眼泪，也可惜了儿的。』宝玉也不答言，遂进了屋子，只见宝钗睡了，宝玉也知宝钗装睡。却是袭人说了一句道：『有什么话，明日说不得？巴巴儿的跑到那里去闹，闹出……』说到这里，也就不肯说，迟一迟，才接着道：『身上不觉怎么样？』宝玉也不言语，只摇摇头儿，袭人一面才打发睡下。一夜无眠，自不必说。

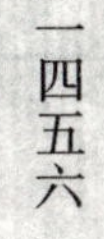

这里紫鹃被宝玉一招，越发心里难受，直直的哭了一夜。（今夜无人入睡——这本是意大利歌剧《图兰朵》的著名唱段。）思前想后：『宝玉的事，明知他病中不能明白，所以众人弄鬼弄神的办成了，后来宝玉明白了，旧病复发，时常哭想，并非忘情负义之徒。今日这种柔情，一发叫人难受，只可怜我们林姑娘真真是无福消受他。如此看来，人生缘分，都有一定。在那未到头时，大家都是痴心妄想；及至无可如何，那糊涂的也就不理会了，那情深义重的也不过临风对月，洒泪悲啼。可怜那死的倒未必知道，这活的真真是苦恼伤心，无休无了。算来竟不如草木石头，无知无觉，倒也心中干净！』（紫鹃如此善于总结与思辨。这是一个哈姆雷特式的问题：活着，还是不活？being or not being?）想到此处，倒把一片酸热之心，一时冰冷了。才要收拾睡时，只听东院里吵嚷起来。未知何事，下回分解。

紫鹃的概括，堪称警世醒世箴言。『都是痴心妄想』云云，最切最切。当然，不能仅仅是消极地去痴逐妄，痴者明之，妄者实之，通过作为去痴逐妄，更要通过作为去争取那非痴非妄的人生。凤姐虽孤，犹有刘老老可托。宝玉佼佼，何处觅一知己。此回预示了凤姐、巧姐的下场，也预示了宝玉的结局。

拾遗补阙，也是长篇小说之道。

一个凤姐，一个是宝玉，本是贾府的中心人物，这里写的是二人的不叫遗言的遗言。

第一百十四回　王熙凤历幻返金陵　甄应嘉蒙恩还玉阙

却说宝玉宝钗听说凤姐病的危急，赶忙起来，丫头秉烛伺候。正要出院，只见王夫人那边打发人来说：『琏二奶奶不好了，还没有咽气，二爷二奶奶且慢些过去罢。琏二奶奶的病有些古怪，从三更天起，到四更时候，琏二奶奶没有住嘴，说些胡话，要船要轿的，说到金陵归入册子去。（古怪得太小儿科。）众人不懂，他只是哭哭喊喊的。琏二爷没有法儿，只得去糊船轿，还没拿来，琏二奶奶喘着气等呢。叫我们过来说，等琏二奶奶去了，再过去罢。』宝玉道：『这也奇，他到金陵做什么？』袭人轻轻的合宝玉说道：『你不是那年做梦，我还记得说有多少册子，不是琏二奶奶也到那里去么？』（袭人未忘此册子么？怎么从不见她有什么实际以外的思想？）宝玉听了点头道：『是呀，可惜我都不记得那上头的话了。这么说起来，人都有个定数的了。但不知林妹妹又到那里去了？我如今被你一说，我有些懂得了。若再做这个梦时，我得细细的瞧一瞧，便有未卜先知的分儿了。』袭人道：『你这样的人，可是不可合你说话的，偶然提了一句，你便认起真来了吗？就算你能先知了，你有什么法儿！』宝玉道：『只怕不能先知，若是能了，我也犯不着为你们瞎操心了。』（话里有后话。『红』中的许多话都带有谶语性质。）

凤姐判词『哭向金陵事更哀』，后文数次出现王熙凤与金陵字样，到底含义如何，尚待探寻。这里的『历幻返金陵』的交代，未免敷衍搪塞。

两人正说着，宝钗走来，问道：『你们说什么？』宝玉恐他盘诘，只说：『我们谈论凤姐姐。』宝钗道：『人要死了，你们还只管议论人。旧年你还说我咒人，那个签不是应了么？』宝玉又想了一想，拍手道：『是的，是的！这么说起来，

你倒能先知了。我索性问问你，你知道我将来怎么样？』（宝玉所问，恰恰是他心中郁结之处，并非胡闹。此时他虽未定夺，但已预见到自己不可能从宝钗之愿了。既知，又不知。能，又不能。不可不信，不可全信。宝钗的话很中庸也很明白实用。）宝钗笑道：『这是又胡闹起来了。我是就他求的签上的话混解的，你就认了真了。你就和邢妹妹一样的了。你失了玉，他去求妙玉扶乩，批出来的众人不解，他还背地里合我说，妙玉怎么前知，怎么参禅悟道。如今他遭此大难，他如何自己都不知道，这可是算得前知吗？就是我偶然说着了二奶奶的事情，其实知道他是怎么样了，只怕我连我自己也不知道呢。这样下落，可不是虚诞的事，是信得的么？』宝玉道：『别提他了。你只说邢妹妹罢，自从我们这里连连的有事，把他这件事竟忘记了。你们家这么一件大事，怎么就草草的完了？也没请亲唤友的。』（婚事草草，交代得也草草。）宝钗道：『你这话又是迂了。我们家的亲戚，只有咱们这里和王家最近。王家没了什么正经人了；咱们家遭了老太太的大事，所以也没请，就是琏二哥张罗了张罗。别的亲戚虽也有一两门子，你没过去，如何知道？算起来，我们这二嫂子的命和我差不多，（比你强多了。）好好的许了我二哥哥，我妈妈原想要体体面面的给二哥哥娶这房亲事的。一则为我哥哥在监里，二哥哥也不肯大办；二则为咱们家的事；三则为我二嫂子在大太太那边忒苦，又加着抄了家，大太太是苛刻一点的，（宝钗难得说某的坏话。）他也实在难受。所以我和妈妈说了，便将将就就的娶了过去。（不将就又如何可能？）我看二嫂子如今倒是安心乐意的孝敬我妈妈，比亲媳妇还强十倍呢；待二哥哥也是极尽妇道的，和香菱又甚好。二哥哥不在家，他两个和和气气的过日子，虽说是穷些，我妈妈近来倒安逸好些。就是想起我哥哥来，不免悲伤。况且常打发人家里来要使用，多亏二哥哥在外头账头儿上讨来应付他的。我听见说，城里有几处房子已经典去，

还剩了一所在那里，打算着搬去住。』宝玉道：『为什么要搬？住在这里，你来去也便宜些；若搬远了，你去就要一天了。』宝钗道：『虽说是亲戚，到底各自的稳便些。那里有个一辈子住在亲戚家的呢！』（又是这种聚散之论。）

宝玉还要讲出不搬去的理，王夫人打发人来说：『琏二奶奶咽了气了，所有的人都过去了，请二爷二奶奶就过去。』宝玉听了，也掌不住跺脚要哭。宝钗虽也悲戚，恐宝玉伤心，便说：『有在这里哭的，不如到那边哭去。』于是两人一直到凤姐那里，只见好些人围着哭呢。宝钗走到跟前，见凤姐已经停床，便大放悲声。宝玉也拉着贾琏的手，大哭起来，贾琏也重新哭泣。（忽喇喇大厦倾，糊涂涂天地崩，悲戚戚黄泉近，阴森森末日临！）平儿等因见无人劝解，只得含悲上来劝止了。众人都悲哀不止。贾琏此时手足无措，叫人传了赖大来，叫他办理丧事。自己回明了贾政去，然后行事。但是手头不济，诸事拮据。又想起凤姐素日的好处，更加悲哭不已。又见巧姐哭的死去活来，越发伤心。哭到天明，即刻打发人去请他大舅子王仁过来。

在长篇悲剧性小说中，死神常常是第一主角。死神的到来，死神的威严，死神的法力，死神的结果，一切的绝对过程，不知凡几地写在一部又一部小说里。而『红』，林黛玉死了，贾母死了，再加凤姐死了，它的悲剧故事已经完成了。还剩几个活着的，对于这个家族与这一番故事，已经不起决定性作用了。当然还有宝玉。宝玉对于这个家族起不了大作用。对于读者，却是首屈一指的人物。故事毕竟是围绕着他来展开、来组织的。

那王仁自从王子腾死后，王子胜又是无能的人，任他胡为，已闹的六亲不和。今知妹子死了，只得赶着过来哭了一场。见这里诸事将就，心下便不舒服，说：『我妹妹在你家辛辛苦苦当了好几年家，也没有什么错处，你

们家该认真的发送发送才是，怎么这时候诸事还没有齐备？』（王仁是『红』埋伏的又一定时炸弹。）贾琏本与王仁不睦，见他说些混账话，知他不懂的什么，也不大理他。王仁便叫了他外甥女儿巧姐过来，说：『你娘在时，本来办事不周到，只知道一味的奉承老太太，把我们的人都不大看在眼里。（倒是一针见血。得宠者恃宠者多有此种『不周到』。）外甥女儿，你也大了，看见我曾经沾染过你们没有？如今你娘死了，诸事要听着舅舅的话。你母亲娘家的亲戚就是我和你二舅舅了。你父亲的为人，我也早知道的了，只有重别人。那年什么尤姨娘死了，我虽不在京，听见人说花了好些银子。如今你娘死了，你父亲倒是这样的将就办去吗，你也不快些劝劝你父亲？』巧姐道：『我父亲巴不得要好看，只是如今比不得从前了。现在手里没钱，所以诸事省些是有的。』王仁道：『你的东西还少么！』

巧姐儿道：『旧年抄去，何尝还了呢。』王仁道：『你也这样说？我听见老太太又给了好些东西，你该拿出来。』巧姐又不好说父亲用去，只推不知道。王仁便道：『哦，我知道了，不过是你要留着做嫁妆罢咧。』（凤姐有这样的哥哥！）巧姐听了，不敢回言，只气得哽噎难鸣的哭起来了。平儿生气说道：『舅老爷，有话等我们二爷进来再说。姑娘这么点年纪，他懂的什么？』王仁道：『你们是巴不得二奶奶死了，你们就好为王了！我并不要什么，好看些，也是你们的脸面。』说着，赌气坐着。巧姐满怀的不舒服，心想：『我父亲并不是没情。我妈妈在时，舅舅不知拿了多少东西去，如今说得这样干净！』（巧姐的精神已受到了污染。揭露王仁的面目？似嫌太急了些。）于是便不大瞧得起他舅舅了。岂知王仁心里想来，他妹妹不知积攒了多少。虽说抄了家，那屋里的银子还怕少吗？『必是怕我来缠他们，所以也帮着这么说。这小东西儿也是不中用的。』（王仁太直露了。书已将完，顾不得步步为营地写了。）从此，

王仁也嫌了巧姐儿了。

贾琏并不知道，只忙着弄银钱使用。外头的大事，叫赖大办了；里头也要用好些钱，一时实在不能张罗。平儿知他着急，便叫贾琏道：『二爷也别过于伤了自己的身子。』贾琏道：『什么身子！现在日用的钱都没有，这件事怎么办？偏有个糊涂行子，又在这里蛮缠，你想有什么法儿！』（人越晦气就越犯小人，越犯小人就越晦气。也是恶性循环。）平儿道：『二爷也不用着急。若说没钱使唤，我还有些东西，旧年幸亏没有抄去，在里头，二爷要，就拿去当着使唤罢。』贾琏听了，心想：『难得这样。』便笑道：『这样更好，省得我各处张罗。等我银子弄到手了还你。』平儿道：『我的也是奶奶给的，什么还不还！只要这件事办的好看些就是了。』贾琏心里倒着实感激他，便将平儿的东西拿了去当钱使用。诸凡事情，便与平儿商量。秋桐看着，心里就有些不甘，每每口角里头便说：『平儿没有了奶奶，他要上去了。我是老爷的人，他怎么就越过我去了呢？』平儿也看出来了，只不理他。倒是贾琏一时明白，越发把秋桐嫌了，一时有些烦恼，便拿着秋桐出气。（轮到秋桐自掘坟墓了。）邢夫人知道，反说贾琏不好，贾琏忍气。不提。

平儿的贤德，贾琏的知情，秋桐的可恶，都显得相当皮相、落套。这些叙述交代，没有深度，没有新意。把人物道德化、类型化，『格』就降下来了。

再说凤姐停了十余天，送了殡。贾政守着老太太的孝，总在外书房。那时清客相公，渐渐的都辞去了，只有个程日兴还在那里，时常陪着说说话儿。提起『家运不好，一连人口死了好些，大老爷合珍大爷又在外头。家计一天难似一天，外头东庄地亩，也不知道怎么样，总不得了呀！』程日兴道：『我在这里好些年，也知道，府上的人那

一个不是肥己的？（『那一个不是肥己的』云云，注定了死症！）一年一年都往他家里拿，那自然府上是一年不够一年了。又添了大老爷珍大爷那边两处的费用；外头又有些债务；前儿又破了好些财，要想衙门里缉贼追赃，是难事。老世翁若要安顿家事，除非传那些管事的来，派一个心腹的人各处去清查清查，该去的去，该留的留；有了亏空，着在经手的身上赔补，这就有了数儿了。那一座大的园子，人家是不敢买的，这里头的出息也不少，又不派人管了的。几年老世翁不在家，这些人就弄神弄鬼儿的，闹的一个人不敢到园里，这都是家人的弊。此时把下人查一查，好的使着，不好的便撵了，这才是道理。』（程日兴的话句句在理，讲给贾政却是对牛弹琴。）贾政点头道：『先生，你所不知，不必说下人，便是自己的侄儿，也靠不住。若要我查起来，那能一一亲见亲知？况我又在服中，不能照管这些了。我素来又兼不大理家，有的没的，我还摸不着呢。』程日兴道：『老世翁最是仁德的人，若在别家的，这样的家计，就穷起来，十年五载还不怕，便向这些管家的要，也就够了。我听见世翁的家人还有做知县的呢。』（权贵身上的寄生虫而已，吸你的血则可，帮你的忙未免匪夷所思。）贾政道：『一个人若要使起家人们的钱来，便了不得了，只好自己俭省些。但是册子上的产业，若是实有还好，生怕有名无实了。』程日兴道：『老世翁所见极是。晚生为什么说要查查呢？』贾政道：『先生必有所闻。』程日兴道：『我虽知道些那些管事的神通，晚生也不敢言语的。』贾政听了，便知话里有因，便叹道：『我自祖父以来，都是仁厚的，从没有刻薄过下人。我看如今这些人一日不似一日了。在我手里行出主子样儿来，又叫人笑话。』（你就『仁厚』着等死吧！说什么『箕裘颓堕皆从敬』，说什么宝玉『不肖天下无双』，贾政究竟有什么用场？他的正统清谈，只能加速败亡！如未获圣恩起复，那就还得说下去么？说什么呢？）

两人正说着，门上的进来回道：『江南甄老爷到来了。』贾政便问道：『甄老爷进京为什么？』那人道：『奴才也打听了，说是蒙圣恩起复了。』贾政道：『不用说了，快请罢。』那人出去，请了进来。那甄老爷即是甄宝玉之父，名叫甄应嘉，（真应假。）表字友忠，也是金陵人氏，功勋之后。原与贾府有亲，素来走动的。因前年挂误革了职，动了家产，今遇主上眷念功臣，赐还世职，行取来京陛见。（宦海沉浮，非常人能知。）知道贾母新丧，特备祭礼，择日到寄灵的地方拜奠，所以先来拜望。

贾政有服，不能远接，在外书房门口等着。那位甄老爷一见，便悲喜交集，因在制中，不便行礼，遂拉着了手叙了些阔别思念的话，然后分宾主坐下，献了茶，彼此又将别后事情的话说了。贾政问道：『老亲翁几时陛见的？』甄应嘉道：『前日。』（否极泰来，周而复始。）贾政道：『主上隆恩，必有温谕。』甄应嘉道：『主上的恩典，真是比天还高，（比天高！未说『比海深』，可能国人比较缺乏海洋意识。）下了好些旨意。』贾政道：『什么好旨意？』甄应嘉道：『近来越寇猖獗，海疆一带，小民不安，派了安国公征剿贼寇。主上因我熟悉土疆，命我前往安抚，但是即日就要起身。昨日知老太太仙逝，谨备瓣香至灵前拜奠，稍尽微忱。』贾政即忙叩首拜谢，便说：『老亲翁即此一行，必是上慰圣心，下安黎庶。诚哉莫大之功，正在此行。但弟不克亲睹奇才，只好遥聆捷报。（贾政何等羡慕！）现在镇海统制是弟舍亲，会时务望青照。』甄应嘉道：『老亲翁与统制是什么亲戚？』贾政道：『弟那年在江西粮道任时，将小女许配与统制少君，结缡已经三载。因海口案内未清，继以海寇聚奸，所以音信不通。弟深念小女，俟老亲翁安抚事竣后，拜恳便中请为一视。弟即修数行，烦尊纪带去，便感激不尽了。』甄应嘉道：

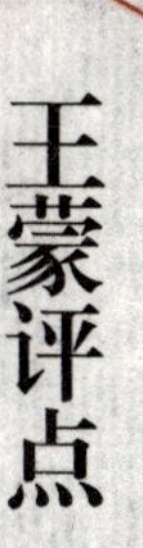

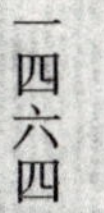

『儿女之情，人所不免。我正在有奉托老亲翁的事，日蒙圣恩召取来京，因小儿年幼，家下乏人，将贱眷全带来京。我因钦限迅速昼夜先行，贱眷在后缓行，到京尚需时日。弟奉旨出京，不敢久留。将来贱眷到京，少不得要到尊府，定叫小犬叩见，如可进教，遇有姻事可图之处，望乞留意为感。』贾政一一答应。

那甄应嘉又说了几句话，就要起身，说：『明日在城外再见。』贾政见他事忙，谅难再坐，只得送出书房。

贾琏宝玉早已伺候在那里代送，因贾政未叫，不敢擅入。甄应嘉出来，两人上去请安。应嘉一见宝玉，呆了一呆，心想：『这个怎么甚像我家宝玉？只是浑身缟素。』（你家宝玉也会有浑身缟素的一日。）因问：『至亲久阔，爷们都不认得了。』贾政忙指贾琏道：『这是家兄名赦之子琏二侄儿。』又指着宝玉道：『这是第二小犬，名叫宝玉。』应嘉拍手道：『奇！我在家听见说老亲翁有个衔玉生的爱子，名叫宝玉，因与小儿同名，心中甚为罕异。后来想着这个也是常有的事，不在意了。岂知今日一见，不但面貌相同，且举止一般，这更奇了。』（世事无独有偶，常自呼应互映。）问起年纪，『比这里的哥儿略小一岁。』贾政便因提起承属包勇，问及『令郎哥儿与小儿同名』的话述了一遍。应嘉因属意宝玉，也不暇问及那包勇的得妥，只连连的称道：『真真罕异！』（『红』写人物的一大特点，是似有人的分裂，又有人的对应、合成：一个王熙凤，另有戏文里的两个王熙凤；一个贾宝玉，另有一个甄宝玉；一个黛玉，跟上一个晴雯，再跟上一个柳五儿。此事颇应一论。）因又拉了宝玉的手，极致殷勤。又恐安国公起身甚速，急须预备长行，勉强分手徐行。

贾琏宝玉送出，一路又问了宝玉好些的话。及至登车去后，贾琏宝玉回来见了贾政，便将应嘉问的话回了一遍。贾政命他二人散去。贾琏又去张罗，算明凤姐丧事的账目。

宝玉回到自己房中，告诉了宝钗，说是：『常提的甄宝玉，我想一见不能，今日倒先见了他父亲了。我还听得说，宝玉也不日要到京了，要来拜望我老爷呢。又人人说和我一模一样的，我只不信。若是他后儿到了咱们这里来，你们都去瞧去，看他果然和我像不像？』（孩子话罢了。宝玉也是那种长不大的类型，患有心理不成熟症。）宝钗听了道：『嗳，你说话怎么越发不留神了？什么男人同你一样都说出来了，还叫我们瞧去吗！』宝玉听了，知是失言，脸上一红，连忙的还要解说。不知何话，下回分解。

正像地球人急急忙忙地寻找另一个有生命的星球（而未得）一样，贾府、宝玉也在急急地寻找自己的对应，自己的映像，自己的伴侣。人是看不见自己的，人是通过对旁人的观察来理解自己的。所以有了贾府，还要有甄府。甄府先抄家，后起复。贾家呢？宝玉亦是如此。他多么希望能找到另一个宝玉呀！

用几何学的眼光来看，『红』的结构类似一个椭圆，贾宝玉是圆心F，王熙凤是圆心F'，围绕凤的内容，不比围绕宝玉的内容叙写少，从而构成了情与政两大主题。黛玉死了，宝玉的精神已经崩溃，贾母死了，整个贾家已经失去了来历、威严、气派与地位，凤死了，失去了运转的枢纽，剩下的，一大批乌龟王八蛋，全面覆灭与全面恶化相结合。

第一百十五回　惑偏私惜春矢素志　证同类宝玉失相知

一四六五

一四六六

话说宝玉为自己失言，（『失言』云云，不过是拒绝长大。）被宝钗问住，想要掩饰过去，只见秋纹进来说：『外头老爷叫二爷呢。』宝玉巴不得一声，便走了去。到贾政那里，贾政道：『我叫你来不为别的。现在你穿着孝，不便到学里去，你在家里，必要将你念过的文章温习温习。我这几天倒也闲着，隔两三日要做几篇文章我瞧瞧，看你这些时进益了没有。』（重复旧话，毫无二致。）宝玉只得答应着。贾政又道：『你环兄弟兰侄儿我也叫他们温习去了。倘若你做的文章不好，反倒不及他们，那可就不成事了。』宝玉不敢言语，答应了个『是』，站着不动。贾政道：『去罢。』宝玉退了出来，正撞见赖大诸人拿着些册子进来。

宝玉一溜烟回到自己房中，宝钗问了，知道叫他作文章，倒也喜欢。惟有宝玉不愿意，也不敢怠慢。正要坐下静静心，见有两个姑子进来，宝玉看是地藏庵的。来和宝玉说：『请二奶奶安。』宝钗待理不理的说：『你们好？』因叫人来：『倒茶给师父们喝。』宝玉原要和那姑子说话，见宝钗似乎厌恶这些，也不好兜搭。那姑子知道宝钗是个冷人，也不久坐，辞了要去。宝钗道：『再坐坐去罢。』那姑子道：『我们因在铁槛寺做了功德，好些时没来请太太奶奶们的安。今日来了，见过了奶奶太太们，还要看四姑娘呢。』宝钗点头，由他去了。（宝钗与包勇所见略同。他们仇视一切异端色彩的东西。）

那姑子便到惜春那里，见了彩屏，说：『姑娘在那里呢？』彩屏道：『不用提了。姑娘这几天饭都没吃，只是歪着。』那姑子道：『为什么？』彩屏道：『说也话长。你见了姑娘，只怕他便和你说了。』惜春早已听见，急忙坐起，说：『你们两个人好啊！见我们家事差了，便不来了。』那姑子道：『阿弥陀佛，有也是施主，没也是施主，（有即是没嘛。）别说我们是本家庵里的，受过老太太多少恩惠呢！如今老太太的事，太太奶奶们都见了，

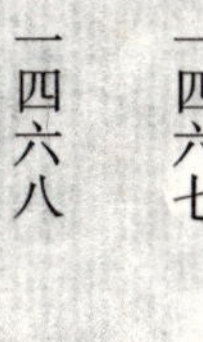

只没有见姑娘，心里惦记，今儿是特特的来瞧姑娘来的。』惜春便问起水月庵的姑子来。那姑子道：『他们庵里闹了些事，如今门上也不肯常放进来了。』（各各有『事』。）便问惜春道：『前儿听见说，栊翠庵的妙师父怎么跟了人去了？』惜春道：『那里的话！说这个话的人堤防着刮舌头。人家遭了强盗抢去，怎么还说这样的坏话。』那姑子道：『妙师父的为人怪僻，只怕是假惺惺罢？在姑娘面前，我们也不好说的。那里像我们这些粗夯人，只知道诵经念佛，给人家忏悔，也为着自己修个善果。』（又对妙玉贬损。这个观点又与王夫人一致，笨笨的倒好。妙玉聪明，有头脑，终不见容于世。形而下是没有绝对的，追求绝对只有上升到形而上的层次。）惜春道：『怎么样就是善果呢？』那姑子道：『除了咱们家这样善德人家儿不怕，若是别人家那些诰命夫人小姐，也保不住一辈子的荣华。到了苦难来了，可就救不得了。只有个观世音菩萨大慈大悲，遇见人家有苦难的，就慈心发动，设法儿救济。为什么如今都说「大慈大悲救苦救难的观世音菩萨」呢！我们修了行的人，虽说比夫人小姐们苦多着呢，只是没有险难的了。虽不能成佛作祖，修修来世或者转个男身，自己也就好了。（一面是宝玉的尊女贬男。一面是姑子们希望来世修成男身。倒也是对照。）不像如今脱生了个女人胎子，什么委屈烦难都说不出来。姑娘，你还不知道呢，要是人家姑娘们出了门子，这一辈子跟着人，是更没法儿的。若说修行，也只要修得真。那妙师父自为才情比我们强，他就嫌我们这些人俗。岂知俗的才能得善缘呢，他如今到底是遭了大劫了。』（人是不可能完全蔑俗脱俗免俗的，大雅大俗，大俗大雅，个中道理值得一思。）

续作者故布疑阵。正像可卿的死有水面上的故事，有水下的『潜故事』一样，妙玉之遭劫，除了表面的故事以外是不是另有『潜故事』呢？小说一直不停地暗示启发。如今又说到『跟了人去了』『假惺惺』之类的话。抑或表明妙玉不仅遭劫，还被诽谤不止呢？

惜春被那姑子一番话说得合在机上，也顾不得丫头们在这里，便将尤氏待他怎样，前儿看家的事说了一遍，并将头发指给他瞧，道：『你打谅我是什么没主意恋火坑的人么？早有这样的心，只是想不出道儿来。』那姑子听了，假作惊慌道：『姑娘再别说这个话！珍大奶奶听见，还要骂杀我们，撵出庵去呢！姑娘这样人品，这样人家，将来配个好姑爷，享一辈子的荣华富贵……』惜春不等说完，便红了脸，说：『珍大奶奶撵得你，我就撵不得么？』那姑子知是真心，便索性激他一激，说道：『姑娘别怪我们说错了话。太太奶奶们那里就依得姑娘的性子呢？那时闹出没意思来倒不好。我们倒是为姑娘的话。』惜春道：『这也瞧罢咧。』彩屏等听这话头不好，便使个眼色儿给姑子，叫他走。那姑子会意，本来心里也害怕，不敢挑逗，便告辞出去。惜春也不留他，便冷笑道：『打谅天下就是你们一个地藏庵么？』那姑子也不敢答言，去了。（并非四大皆空，而是处处挂碍。）

彩屏见事不妥，恐耽不是，悄悄的去告诉了尤氏说：『四姑娘铰头发的心头还没有息呢。他这几天不是病，竟是怨命。奶奶堤防些，别闹出事来，那会子归罪我们身上。』尤氏道：『他那里是为要出家？他为的是大爷不在家，安心和我过不去，也只好由他罢了。』（尤氏无法理解惜春。一个人有一点个性就有了罪，就是安心同这个或那个过不去，就该死。人是多么难以容人啊！）彩屏等没法，也只好常常劝解。岂知惜春一天一天的不吃饭，只想铰头发。彩屏等吃不住，只得到各处告诉。邢王二夫人等也都劝了好几次，怎奈惜春执迷不解。

邢王二夫人正要告诉贾政，只听外头传进来说：『甄家的太太带了他们家的宝玉来了。』众人急忙接出，便

在王夫人处坐下。（处处时时讲究『座次学』。一切体现秩序的庄严性。）众人行礼，叙些寒温，不必细述。只言王夫人提起甄宝玉与自己的宝玉无二，要请甄宝玉进来一见。传话出去，回来说道：『甄少爷在外书房同老爷说话，说的投了机了，打发人来请我们二爷三爷，还叫兰哥儿，在外头吃饭，吃了饭进来。』说毕，里头也便摆饭，不提。

且说贾政见甄宝玉相貌果与宝玉一样，试探他的文才，竟应对如流，甚是心敬，故叫宝玉等三人出来，警励他们；再者，到底叫宝玉来比一比。宝玉听命，穿了素服，带了兄弟侄儿出来，见了甄宝玉，竟是旧相识一般。那甄宝玉也像那里见过的。两人行了礼，然后贾环贾兰相见。本来贾政席地而坐，要让甄宝玉在椅子上坐，甄宝玉因是晚辈，不敢上坐，就在地下铺了褥子坐下。如今宝玉等出来，又不能同贾政一处坐着，为甄宝玉又是晚一辈，又不好竟叫宝玉等站着。贾政知是不便，站着又说了几句话，叫人摆饭，说：『我失陪，叫小儿辈陪着，大家说说话儿，好叫他们领领大教。』甄宝玉逊谢道：『老伯大人请便，侄儿正欲领世兄们的教呢。』贾政回复了几句，便自往内书房去。那甄宝玉反要送出来，贾政拦住。宝玉等先抢了一步，出了书房门槛站立着，看贾政进去，然后进来让甄宝玉坐下。彼此套叙了一回，诸如久慕竭想的话，也不必细述。

且说贾宝玉见了甄宝玉，想到梦中之景，并且素知甄宝玉为人，必是和他同心，以为得了知己。因初次见面，不便造次，且又贾环贾兰在坐，只有极力夸赞说：『久仰芳名，无由亲近，今日见面，真是谪仙一流的人物！』（是赞他，也是赞己。因为说此话时，他是在两个宝玉之间划了等号的。）那甄宝玉素来也知贾宝玉的为人，今日一见，果然不差，『只是可与我共学，不可与你适道。他既和我同名同貌，也是三生石上的旧精魂了。既我略知了些道理，怎么不

和他讲讲？但是初见，尚不知他的心与我同不同，只好缓缓的来。』（一个宝玉试探另一个宝玉。）便道：『世兄的才名，弟所素知的。在世兄是数万人的里头选出来最清最雅的，在弟是庸庸碌碌一等愚人，忝附同名，殊觉玷辱了这两个字。』贾宝玉听了，心想：『这个人果然同我的心一样的。但是你我都是男人，不比那女孩儿们清洁，怎么他拿我当作女孩儿看待起来？』便道：『世兄谬赞，实不敢当。弟是至浊至愚，只不过一块顽石耳，何敢比世兄品望高清，实称此两字。』甄宝玉道：『弟少时不知分量，自谓尚可琢磨，岂知家遭消索，数年来更比瓦砾犹贱。虽不敢说历尽甘苦，然世道人情，略略的领悟了好些。世兄是锦衣玉食，无不遂心的，必是文章经济，高出人上，所以老伯钟爱，将为席上之珍。弟所以才说尊名方称。』

贾宝玉听这话头又近了禄蠹的旧套，想话回答。贾环见未与他说话，心中早不自在。倒是贾兰听了这话，甚觉合意，便说道：『世叔所言，固是太谦，若论到文章经济，实在从历练中出来的，方为真才实学。在小侄年幼，虽不知文章为何物，然将读过的细味起来，那膏粱文绣，比着令闻广誉，真是不啻百倍的了。』（宝玉十分警惕『旧套』『酸论』，偏偏到处都是。贾兰小小年纪也加入了这一大军。这样，宝玉的逆反心理更加强化。）甄宝玉未及答言，贾宝玉听了兰儿的话，心里越发不合，想道：『这孩子从几时也学了这一派酸论。』（除了你，都会这样的。）便说道：『弟闻得世兄也诋尽流俗，性情中另有一番见解。今日弟幸会芝范，想欲领教一番超凡入圣的道理，从此可以洗净俗肠，重开眼界。不意视弟为蠢物，所以将世路的话来酬应。』甄宝玉听说，心里晓得：『他知我少年的性情，所以疑我为假，我索性把话说明，或者与我作个知心朋友，也是好的。』（谁能保持天真？谁能永不长大？保持天真是一种病态吗？抑或扼杀

（天真才是病态呢？）便说道：『世兄高论，固是真切。但弟少时也曾深恶那些旧套陈言，只是一年长似一年，家君致仕在家，懒于酬应，委弟接待。后来见过那些大人先生，尽都是显亲扬名的人；便是著书立说，无非言忠言孝，自有一番立德立言的事业，方不枉生在圣明之时，也不致负了父亲师长养育教诲之恩；所以把少时那一派迂想痴情，渐渐的淘汰了些。（这是贾宝玉的榜样也是贾宝玉的前途。）如今尚欲访师觅友，教导愚蒙。幸会世兄，定当有以教我。适才所言，并非虚意。』

如果将此节视为两个人的谈话，则不通，败笔。如果视为宝玉与自己的谈话（即思想斗争）呢？

贾宝玉愈听愈不耐烦，又不好冷淡，只得将言语支吾。（然而遭到了此宝玉的拒绝？）幸喜里头传出话来，说：『若是外头爷们吃了饭，请甄少爷里头去坐呢。』宝玉听了，趁势便邀甄宝玉进去。（宝玉找到了宝玉，方知宝玉不是宝玉，或曰宝玉另有宝玉。何为人？何为我？何为一？何为二？人与人争，己就不与己争么？）那甄宝玉依命前行，贾宝玉等陪着来见王夫人。贾宝玉见是甄太太上坐，便先请过了安。贾环贾兰也见了。甄宝玉也请了王夫人的安。两母两子，互相厮认。虽是贾宝玉是娶过亲的，那甄夫人年纪已老，又是老亲，因见贾宝玉的相貌身材与他儿子一般，不禁亲热起来。王夫人更不用说，拉着甄宝玉问长问短，觉得比自己家的宝玉老成些。回看贾兰，也是清秀超群的，虽不能像两个宝玉的形象，也还随得上；只有贾环粗夯，未免有偏爱之色。（时时不忘贬环。）

众人一见两个宝玉在这里，都来瞧看，说道：『真真奇事！名字同了也罢，怎么相貌身材都是一样的。亏得是我们宝玉穿孝，若是一样的衣服穿着，一时也认不出来。』内中紫鹃一时痴意发作，便想起黛玉来，心里说道：『可

惜林姑娘死了，若不死时，就将那甄宝玉配了他，只怕也是愿意的。』（更煞风景。紫鹃之见而已。『红』对人物，极重相貌，不可忽略。）正想着，只听得甄夫人道：『前日听得我们老爷回来说，我们宝玉年纪也大了，求这里老爷留心一门亲事。』王夫人正爱甄宝玉，顺口便说道：『我也想要与令郎作伐。我家有四个姑娘，那三个都不用说，死的死，嫁的嫁了。还有我们珍大侄儿的妹子，只是年纪过小几岁，恐怕难配。倒是我们大媳妇的两个堂妹子，生得人材齐正。二姑娘呢，已经许了人家；三姑娘正好与令郎为配。过一天，我给令郎作媒。但是他家的家计如今差些。』（这样顺口一说，乏味之至。）甄夫人道：『太太这话又客套了。如今我们家还有什么？只怕人家嫌我们穷罢了。』王夫人道：『现今府上复又出了差，将来不但复旧，必是比先前更要鼎盛起来。』（祝人便是祝己。）甄夫人笑着道：『但愿依着太太的话更好。这么着，就求太太作个保山。』

甄宝玉听他们说起亲事，便告辞出来，贾宝玉等只得陪着来到书房。见贾政已在那里，复又立谈几句。听见甄家的人来回甄宝玉道：『太太要走了，请爷回去罢。』于是甄宝玉告辞出来。贾政命宝玉、环、兰相送，不提。

甄宝玉是贾宝玉的另一个『我』。一样的长相，一样的出身，一样的经历，最初也是一样的性情。经过历练选择，各走各的路，彼宝玉非此宝玉矣。任性一时，叛逆一时，最终认同和解，向社会降服，倒也有代表性、概括性。先照镜子后做梦，镜里梦里的那一个宝玉，是何等朦朦胧胧，引人遐想。两个宝玉一见面，又是客套又是交谈，反面生硬、牵强，令人倒胃口了。甄贾宝玉互为映像，互为对应，互为陪衬则可。像两个活人一样地见面称兄道弟，则大谬。换一个思路呢？两个宝玉哪个真？哪个假？假做真时真亦假，那就是说，甄宝玉反是假的。

且说宝玉自那日见了甄宝玉之父，知道甄宝玉来京，朝夕盼望，今儿见面，原想得一知己，岂知谈了半天，竟有些冰炭不投。闷闷的回到自己房中，也不言，也不笑，只管发怔。（更知自己已呆不下去了，混不下去了。内心矛盾更加尖锐。）宝钗便问：『那甄宝玉果然像你么？』宝玉道：『相貌倒还是一样的，只是言谈间看起来，并不知道什么，不过也是个禄蠹。』宝钗道：『你又编派人家了。怎么就见得也是个禄蠹呢？』宝玉道：『他说了半天，并没个明心见性之谈，不过说些什么「文章经济」，又说什么「为忠为孝」。这样人可不是个禄蠹么？只可惜他也生了这样一个相貌。我想来有了他，我竟要连我这个相貌都不要了。』（这倒还有点意思。探索灵与肉、性情与身体的分合这样一个老问题。）宝钗见他又发呆话，便说道：『你真真说出句话来叫人发笑，这相貌怎么能不要呢？况且人家这话是正理，做了一个男人，原该要立身扬名的，谁像你一味的柔情私意？不说自己没有刚烈，倒说人家是禄蠹。』（弄这样一个太太天天教导自己，诲人不倦，一贯正确，确实也够受的。）宝玉本听了甄宝玉的话，甚不耐烦，又被宝钗抢白了一场，心中更加不乐，闷闷昏昏，不觉将旧病又勾起来了，并不言语，只是傻笑。宝钗不知，只道是『我的话错了，他所以冷笑』，也不理他。岂知那日便有些发呆，袭人等怄他，也不言语。过了一夜，次日起来，只是发呆，竟有前番病的样子。

一日，王夫人因为惜春定要铰发出家，尤氏不能拦阻，看着惜春的样子是若不依他，必要自尽的，虽然昼夜着人看着，终非常事，便告诉了贾政。贾政叹气跺脚，只说：『东府里不知干了什么，闹到如此地位！』叫了贾蓉来说了一顿，叫他去和他母亲说：『认真劝解劝解。若是必要这样，就不是我们家的姑娘了。』岂知尤氏不劝

还好，一劝了，更要寻死，说：『做了女孩儿，终不能在家一辈子的。若像二姐姐一样，老爷太太们倒要烦心，况且死了。如今譬如我死了是的，放我出了家，干干净净的一辈子，就是疼我了！况且我又不出门，就是栊翠庵原是咱们家的基址，我就在那里修行。我有什么，你们也照应得着。现在妙玉的当家的在那里。（妙玉的路已经不通，惜春还要走下去么？）你们依我呢，我就算得了命了；若不依我呢，我也没法，只有死就完了。我如若遂了自己的心愿，那时哥哥回来，我和他说并不是你们逼着我的；若说我死了，未免哥哥回来，倒说你们不容我。』尤氏本与惜春不合，听他的话，也似乎有理，只得去回王夫人。

王夫人已到宝钗那里，见宝玉神魂失所，心下着忙，便说袭人道：『你们忒不留神，二爷犯了病，也不来回我。』袭人道：『二爷的病原来是常有的，一时好，一时不好。天天到太太那里，仍旧请安去，原是好好儿的，今日才发糊涂些。（宝玉见了宝玉，便糊涂了。多研究一下两个宝玉的事，读者也会糊涂的。）二奶奶正要来回太太，恐怕太太说我们大惊小怪。』宝玉听见王夫人说他们，心里一时明白，恐他们受委屈，便说道：『太太放心，我没什么病，只是心里觉着有些闷闷的。』王夫人道：『你是有这病根子，（与社会疏离，与亲人疏离，与自己疏离。果然是病根子。）早说了，好请大夫瞧瞧，吃两剂药好了不好？若再闹到头里丢了玉的时候是的，就费事了。』宝玉道：『太太不放心，便叫个人来瞧瞧，我就吃药。』王夫人便叫丫头传话出来请大夫。这一个心思都在宝玉身上，便将惜春的事忘了。迟了一回，大夫看了服药，王夫人回去。

过了几天，宝玉更糊涂了，甚至于饭食不进，大家着急起来。（没有活路了。这些描写都为他的日后出家做铺垫。出家如死，

容易吗？见宝玉而糊涂，可以解读为一种彻骨的孤独感；同名同类乃至同一个人，也非相知，也非伙伴。）恰又忙着脱孝，家中无人，又叫了贾芸来照应大夫。贾琏家下无人，请了王仁来在外帮着料理。那巧姐儿是日夜哭母，也是病了。所以荣府中又闹得马仰人翻。

一日，又当脱孝来家，王夫人亲身又看宝玉，见宝玉人事不醒，急得众人手足无措，一面哭着，一面告诉贾政说：『大夫回了，不肯下药，只好预备后事。』（『红』的主题就是要给人人预备后事。这一点与宗教相同。）贾政叹气连连，只得亲自看视，见其光景果然不好，便又叫贾琏办去。贾琏不敢违拗，只得叫人料理。手头又短，正在为难，只见一个人跑进来说：『二爷，不好了！又有饥荒来了。』贾琏不知何事，这一吓非同小可，瞪着眼说道：『什么事？』那小厮道：『门上来了一个和尚，手里拿着二爷的这块丢的玉，说要一万赏银。』（和尚该来了。）贾琏照脸啐道：『我打量什么事，这样慌张！前番那假的你不知道么？就是真的，现在人要死了，要这玉做什么！』小厮道：『奴才也说了。那和尚说，给他银子就好了。』又听着外头嚷进来说：『这和尚撒野，各自跑进来了，众人拦他拦不住。』贾琏道：『那里有这样怪事？你们还不快打出去呢！』又闹着，贾政听见了，也没了主意了。里头又哭出来，说：『宝二爷不好了！』贾政益发着急。只见那和尚嚷道：『要命拿银子来！』贾政忽然想起：『头里宝玉的病是和尚治好的，这会子和尚来，或者有救星。但是这玉倘或是真，他要起银子来，怎么样呢？』想了一想：『好，且不管他，果真人好了再说。』贾政叫人去请，那和尚已进来了，也不施礼，也不答话，便往里就跑。贾琏拉着道：『里头都是内眷，你这野东西混跑什么？』那和尚道：『迟了就不能救了！』贾琏急得一面走，一面乱嚷道：『里头的人不要哭了，和尚进来了！』（重演变奏前文的情节动机，唯更不自然了。闹神闹鬼，偶一用之，写出人的异常感觉来，则佳。重复老一套，则讨嫌矣。）

王夫人等只顾着哭，那里理会？贾琏走近来又嚷。王夫人等回过头来，见一个长大的和尚，吓了一跳，躲避不及。那和尚直走到宝玉炕前，宝钗避过一边，袭人见王夫人站着，不敢走开。只见那和尚道：『施主们，我是送玉来的。』说着，把那块玉擎着道：『快把银子拿出来，我好救他。』（情节设计未尝不可，唯写得不见格调，不见神思。）王夫人等惊惶无措，也不择真假，便说道：『若是救活了人，银子是有的。』那和尚笑道：『拿来！』王夫人道：『你放心，横竖折变的出来。』和尚哈哈大笑，手拿着玉，在宝玉耳边叫道：『宝玉，宝玉！你的「宝玉」回来了。』说了这一句，王夫人等见宝玉把眼一睁。袭人说道：『好了！』（又是小儿科伎俩。）只见宝玉便问道：『在那里呢？』那和尚把玉递给他手里。宝玉先前紧紧的攥着，后来慢慢的回过手来，放在自己眼前，细细的一看，说：『嗳呀！来迟了。』里外众人都喜欢的念佛，连宝钗也顾不得有和尚了。（没有路了，只有找和尚。和尚可，姑子不行。也是重男轻女？）

贾琏也走过来一看，果见宝玉回过来了，心里一喜，疾忙躲出去了。那和尚也不言语，赶来拉着贾琏就跑。贾琏只得跟着，到了前头，赶着告诉贾政。贾政听了喜欢，即找和尚施礼叩谢，和尚还了礼坐下。贾琏心下狐疑：『必是要了银子才走。』贾政细看那和尚，又非前次见的，便问：『宝刹何方？法师大号？这玉是那里得的？怎么小儿一见便会活过来呢？』那和尚微微笑道：『我也不知道，只要拿一万银子来就完了。』贾政见这和尚粗鲁，也不敢得罪，便说：『有。』和尚道：『有便快拿来罢，我要走了。』（纠缠一万银子，很有些搅屎棍的『茶包』——trouble

味道。小说不可能全无起哄。神佛大师，低调耍丑，不可轻慢。）贾政道：『略请少坐，待我进内瞧瞧。』和尚道：『你去，快出来才好。』

贾政果然进去，也不及告诉，便走到宝玉炕前。宝玉见是父亲来，欲要爬起，因身子虚弱，起不来。王夫人按着说道：『不要动。』宝玉笑着，拿这玉给贾政瞧，道：『宝玉来了。』贾政略略一看，知道此事有些根源，也不细看，便和王夫人道：『宝玉好过来了，这赏银怎么样？』王夫人道：『尽着我所有的折变了给他就是了。』宝玉道：『只怕这和尚不是要银子的罢？』贾政点头道：『我也看来古怪，但是他口口声声的说要银子。』王夫人道：『老爷出去先款留着他再说罢。』

贾政出来。宝玉便嚷饿了，喝了一碗粥，还说要吃饭。婆子们果然取了饭来，王夫人还不敢给他吃。宝玉说：『不妨的，我已经好了。』便爬着吃了一碗，渐渐的神气果然好过来了，便要坐起来。（立竿见影。对『宝贝』的幻想，反映出人类童年的儿童心理。）麝月上去轻轻的扶起，因心里喜欢忘了情，说道：『真是宝贝！才看见了一会儿就好了。亏的当初没有砸破。』宝玉听了这话，神色一变，把玉一撂，身子往后一仰，未知死活，下回分解。

这一回写宝玉的，顺便也写了惜春的精神上的孤独。不但有黛玉、晴雯、芳官的离去，而且有宝钗、袭人、贾政、王夫人的监护包围和无孔不入地教导，再加上甄宝玉已非昨日，已非己类，宝玉精神上彻底崩溃了。宝玉精神崩溃了，和尚就来了。和尚乘虚而入。就如妙玉精神崩溃了，强盗就来了一样。（有一种解释可以使甄贾宝玉会面一节化腐朽为神奇。甄宝玉之终归禄蠹，反映的是贾宝玉自己的精神危机。在种种压力下，他面临着内心的严重矛盾，面临着向从袭人到贾政的包围圈屈膝的现实危险，但他终于维护了个性

自我，与另一个宝玉的另一种抉择决裂了。）

惜春要出家，先验的天性使然。宝玉要出家，历练与遭遇使然，每个人都面临两个过不去的坎儿，一个是生命的无常，一个是人生的悲苦愤懑。

把宝玉二字的文章做足，与甄宝玉，与和尚送还的宝玉，与摔玉的记忆，与木石前盟，与金玉良缘，与病根子，这也大致如西方喜讲的认同（身份）危机：简明地说，就是找不到自己，失落了自己。

第一百十六回　得通灵幻境悟仙缘　送慈柩故乡全孝道

话说宝玉一听麝月的话，身往后仰，复又死去，急得王夫人等哭叫不止。（宝玉为黛玉，还要死去活来几次。其情亦大矣。）麝月自知失言致祸，此时王夫人等也不及说他。那麝月一面哭着，一面打听主意，心想：『若是宝玉一死，我便自尽，跟了他去。』（明写麝月有心『殉主』，暗写袭人无此『忠贞』。）不言麝月心里的事。且言王夫人等见叫不回来，赶着叫人出来找和尚救治，岂知贾政进内出去时，那和尚已不见了。贾政正在诧异，听见里头又闹，急忙进来，见宝玉又是先前的样子，牙关紧闭，脉息全无。用手在心窝中一摸，尚有温热。贾政只得急忙请医，灌药救治。

那知那宝玉的魂魄早已出了窍了。你道死了不成？却原来恍恍惚惚赶到前厅，见那送玉的和尚坐着，便施了礼。那知和尚站起身来，拉着宝玉就走。宝玉跟了和尚，觉得身轻如叶，飘飘飖飖，也没出大门，不知从那里走了出来。行了一程，到了个荒野地方，远远的望见一座牌楼，好像曾到过的。（全都连到一块儿了：从和尚到『太虚幻境』。）

正要问那和尚时，只见恍恍惚惚又来了一个女人。宝玉心里想道：『这样旷野地方，那得有如此的丽人？必是神仙下界了。』宝玉想着，走近前来，细细一看，竟有些认得的，只是一时想不起来。见那女人合和尚打了一个照面，就不见了。宝玉一想，竟是尤三姐的样子，越发纳闷：『怎么他也在这里？』又要问时，那和尚早拉着宝玉过了那牌楼，只见牌上写着『真如福地』四大字，两边一副对联，乃是：

假去真来真胜假，无原有是有非无。（实与第五回之联含义相反。）

转过牌坊，便是一座宫门。门上也横书四个大字道：『福善祸淫』。又有一副对子，大书云：

过去未来，莫谓智贤能打破；

前因后果，须知亲近不相逢。（所谓『亲近不相逢』，要说的仍是天人相隔，此岸与彼岸不能交通。）

宝玉看了，心下想道：『原来如此！我倒要问问因果来去的事了。』这么一想，只见鸳鸯站在那里，招手儿叫他。（此鸳鸯已非彼鸳鸯，已不知彼鸳鸯矣。）宝玉想道：『我走了半日，原不曾出园子，怎么改了样子了呢？』赶着要合鸳鸯说话，岂知一转眼便不见了，心里不免疑惑起来。走到鸳鸯站的地方儿，乃是一溜配殿，各处都有匾额。宝玉无心去看，只向鸳鸯立的所在奔去，见那一间配殿的门半掩半开。宝玉也不造次进去，心里正要问那和尚一声，回过头来，和尚早已不见了。宝玉恍惚见那殿宇巍峨，绝非大观园景象，便立住脚，抬头看那匾额上写道：『引觉情痴』。两边写的对联道：

喜笑悲哀都是假，贪求思慕总因痴。（试以此联与第五回太虚幻境中相应的一联——『春恨秋悲皆自惹，花容月貌为谁妍。』——相比，高下自见。）

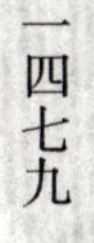

宝玉看了，便点头叹息。想要进去找鸳鸯，问他是什么所在。细细想来，甚是熟识，便仗着胆子推门进去。满屋一瞧，并不见鸳鸯，里头只是黑漆漆的，心下害怕。正要退出，见有十数个大橱，橱门半掩。宝玉忽然想起：『我少时做梦，曾到过这样个地方；如今能够亲身到此，也是大幸。』（少时梦到太虚幻境，与如今（其实也非就不『少』了）三至太虚幻境，已经是沧海桑田，今非昔比了。）

正数第五回讲太虚幻境，此回为倒数第五回，亦讲太虚幻境，这种设计，煞费苦心。唯此回幻境直、露、杂、旧，相去远矣。

恍惚间，把找鸳鸯的念头忘了，便壮着胆把上首的大橱开了橱门一瞧，见有好几本册子，心里更觉喜欢，想道：『大凡人做梦，说是假的，岂知有这梦便有这事。我常说还要做这个梦再不能的，不料今儿被我找着了。但不知那册子是那个见过的不是？』伸手在上头取了一本，册上写着『金陵十二钗正册』。宝玉拿着一想道：『我恍惚记得是那个，只恨记不清楚。』便打开头一页看去。见上头有画，但是画迹模糊，再瞧不出来。（续作者的心理也与如今读者、评者一样，欲以第五回诸语为线索推理破译，其实这对于小说，对于文学，并没有那么重要。）后面有几行字迹，也不清楚，尚可摹拟，便细细的看去，见有什么玉带，上头有个好像『林』字，心里想道：『不要是说林妹妹罢？』便认真看去，底下又有『金簪雪里』四字，咤异道：『怎么又像他的名字呢？』（这样解释就太粗浅了。）复将前后四句合起来一念道：『也没有什么道理，只是暗藏着他两个名字，并不为奇。独有那「怜」字「叹」字不好。这是怎么解？』想到那里，又自啐道：『我是偷着看，若只管呆想起来，倘有人来，又看不成了。』遂往后看去，也无暇细玩那画图，只从头看去。看到尾儿，有几句词，什么「相逢大梦归」一句，便恍然大悟道：「是了！果然机关不爽，这必是元春姐姐了。若都是这样明白，我要抄了去细玩起来，那些姊妹们的寿夭穷通，没有不知的了。我回去自不肯泄漏，只做一个「未卜先知」的人，也省了多少闲想。」（省了闲想，还有什么意思？）又向各处一瞧，并没有笔砚，又恐人来，只得忙着看去。只见图上影影有一个放风筝的人儿，也无心去看。急急的将那十二首诗词都看遍了，也有一看便知的，也有一想便得的，也有不大明白的，心下牢牢记着。一面叹息，一面又取那「金陵又副册」一看，看到「堪羡优伶有福，谁知公子无缘」，先前不懂，见上面尚有花席的影子，便大惊痛哭起来。（不哭元春，不哭钗黛，反大哭花袭人？）

待要往后再看，听见有人说道：「你又发呆了！林妹妹请你呢。」好似鸳鸯的声气，回头却不见人。心中正自惊疑，忽鸳鸯在门外招手。宝玉一见，喜得赶出来，但见鸳鸯在前，影影绰绰的走，只是赶不上。宝玉叫道：「好姐姐！等等我。」那鸳鸯并不理，只顾前走。宝玉无奈，尽力赶去。忽见别有一洞天，楼阁高耸，殿角玲珑，且有好些宫女隐约其间。宝玉贪看景致，竟将鸳鸯忘了。宝玉顺步走入一座宫门，内有奇花异卉，都也认不明白。惟有白石花栏围着一颗青草，叶头上略有红色，但不知是何名草，这样矜贵？只见微风动处，那青草已摆摇不休。虽说是一枝小草，又无花朵，其妩媚之态，不禁心动神怡，魂消魄丧。（颇似狗尾续貂。仍然前文回响。）

宝玉只管呆呆的看着，只听见旁边有一人说道：「你是那里来的蠢物，在此窥探仙草！」宝玉听了，吃了一惊，回头看时，却是一位仙女，便施礼道：「我找鸳鸯姐姐，误入仙境，恕我冒昧之罪！请问神仙姐姐：这里是何地方？

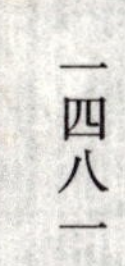

怎么我鸳鸯姐姐到此还说是林妹妹叫我？望乞明示。」（入境难见，幻境相逢。人间不可驻足，仙苑或可栖身。）那人道：「谁知你的姐姐妹妹？我是看管仙草的，不许凡人在此逗留。」宝玉欲待要出来，又舍不得，只得央告道：「神仙姐姐！既是那管理仙草的必然是花神姐姐了。但不知这草有何好处？」那仙女道：「你要知道这草，说起来话长着呢。那草本在灵河岸上，名曰「绛珠草」。因那时萎败，幸得一个神瑛侍者日以甘露灌溉，得以长生。后来降凡历劫，还报了灌溉之恩，今返归真境。所以警幻仙子命我看管，不令蜂缠蝶恋。」（茫茫此恨，何以自解？于是乎有游仙故事。游仙而终不得通。）宝玉听了不解，一心疑定必是遇见了花神了，今日断不可当面错过，便问：「管这草的是神仙姐姐了。还有无数名花，必有专管的，我也不敢烦问，只有看管芙蓉花的是那位神仙？」那仙女道：「我却不知，除是我主人方晓。」宝玉便问道：「姐姐的主人是谁？」那仙女道：「我主人是潇湘妃子。」宝玉听道：「是了！你不知道：这位妃子就是我的表妹林黛玉。」那仙女道：「胡说！此地乃上界神女之所，虽号为潇湘妃子，并不是娥皇女英之辈，何得与凡人有亲？你少来混说，瞧着叫力士打你出去。」（至上界而寻下界之亲之情，殆矣！）

宝玉听了发怔，只觉自形秽浊。正要退出，又听见有人赶来，说道：「里面叫请神瑛侍者。」那人道：「我奉命等了好些时，总不见有神瑛侍者过来，你叫我那里请去？」那一个笑道：「才退去的不是么？」那侍女慌忙赶出来，说：「请神瑛侍者回来。」宝玉只道是问别人，又怕被人追赶，只得踉跄而逃。（接近尾声，全面回顾，这是长篇小说的「回光返照」。）

重温太虚幻境。用意却不相同。人生活在两个世界里，一是此岸的尘世，一是彼岸的幻想世界。贾宝玉尤其如此。他常在此岸怀彼岸之忧，在此岸寻彼岸之果，便呆，便痴，便无比痛苦。

正走时，只见一人手提宝剑，迎面拦住，说：『那里走！』吓得宝玉惊惶无措。仗着胆抬头一看，却不是别人，就是尤三姐。（这个幻境当真成了大杂烩了。）宝玉见了，略定些神，央告道：『姐姐，怎么你也来逼起我来了？』那人道：『你们弟兄没有一个好人，败人名节，破人婚姻。今儿你到这里，是不饶你的了！』宝玉听去话头不好，正自着急，只听后面有人叫道：『姐姐，快快拦住！不要放他走了。』尤三姐道：『我奉妃子之命，等候已久。今儿见了，必定要一剑斩断你的尘缘。』宝玉听了，益发着忙，又不懂这些话到底是什么意思，只得回头要跑。岂知身后说话的并非别人，却是晴雯。宝玉一见，悲喜交集，便说：『我一个人走迷了道儿，遇见仇人，我要逃回，却不见你们一人跟着我。如今好了，晴雯姐姐，快快的带我回家去罢。』（宝玉亲密鬼魂而疏离活人。）晴雯道：『侍者不必多疑。我非晴雯，我是奉妃子之命，特来请你一会，并不难为你。』宝玉满腹狐疑，只得问道：『姐姐说是妃子叫我，那妃子究是何人？』晴雯道：『此时不必问，到了那里，自然知道。』宝玉没法，只得跟着走。细看那人背后举动，恰是晴雯：『那面目声音是不错的了，怎么他说不是？我此时心里模糊，且别管他。到了那边，见了妃子，就有不是，那时再求他。到底女人的心肠是慈悲的，必定恕我冒失。』（有两个世界就有两个我。所以是晴雯，而不是晴雯。）

正想着，不多时，到了一个所在，只见殿宇精致，彩色辉煌，庭中一丛翠竹，户外数本苍松。廊檐下立着几个侍女，都是宫妆打扮。（可惜仍是『宫妆打扮』。那时想象不出稀奇古怪的『外星人』来。）见了宝玉进来，便悄悄的说道：『这就

是神瑛侍者么？』引着宝玉的说道：『就是，你快进去通报罢。』有一侍女笑着招手，宝玉便跟着进去。过了几层房舍，见一正房，珠帘高挂。那侍女说：『站着候旨。』宝玉听了，也不敢则声，只好在外等着。那侍女进去不多时，出来说：『请侍者参见。』又有一人卷起珠帘。只见一女子头戴花冠，身穿绣服，端坐在内。（令人联想起《长恨歌》中所写场面。）宝玉略一抬头，见是黛玉的形容，便不禁的说道：『妹妹在这里！叫我好想。』那帘外的侍女悄咤道：『这侍者无礼，快快出去！』话犹未了，又见一个侍儿将珠帘放下。宝玉此时欲待进去又不敢，要走又不舍，待要问明，见那些侍女并不认得，又被驱逐，无奈出来。心想要问晴雯，回头四顾，并不见有晴雯。心下狐疑，只得快快出来，又无人引着。正欲找原路而去，却又找不出旧路了。正在为难，见凤姐站在一所房檐下招手。（凤姐不是在阴司告赵姨娘的状么？『官司』完了，来到这里？）宝玉看见，喜欢道：『可好了！原来回到自己家里了。我怎么一时迷乱如此？』急奔前来说：『姐姐在这里么，我被这些人捉弄到这个分儿，林妹妹又不肯见我，不知是何原故？』说着，走到凤姐站的地方，细看起来，并不是凤姐，原来却是贾蓉的前妻秦氏。（凤姐如何能化为秦氏？这样做梦是可以的，这样『入境』去掌握天机是不可以的。）宝玉只得立住脚，要问凤姐姐在那里。那秦氏也不答言，竟自往屋里去了。

你不承认你，我不承认我。你不认识我，我不认识你。上界下界，你我他，谁也认不得谁。下界的我，是被下界所确定所铸定所区别出来的。到了上界，还有什么意义？晴雯非晴雯，黛玉非黛玉，宝玉非宝玉。知此，庶几近道矣。自黛玉死后，宝玉求一梦而不可得，这是与黛玉『魂魄』『相会』的唯一一次。相逢未必相识。相逢何必曾相识？别有一番悲哀。二流笔墨写到此处，仍有一等

的情思逸出。

宝玉恍恍惚惚的，又不敢跟进去，只得呆呆的站着，叹道：『我今儿得了什么不是，众人都不理我。』便痛哭起来。见有几个黄巾力士执鞭赶来，说是：『何处男人敢闯入我们这天仙福地来，快走出去！』宝玉听得，不敢言语。正要寻路出来，远远望见一群女子说笑前来。宝玉看时，又像有迎春等一干人走来，心里喜欢，叫道：『我迷住在这里，你们快来救我！』正嚷着，后面力士赶来。宝玉急得往前乱跑，忽见那一群女子都变作鬼怪形象，（一群女子变做鬼怪形象，殊与曹公原意不合。）也来追扑。

宝玉正在情急，只见那送玉来的和尚，手里拿着一面镜子一照，说道：『我奉元妃娘娘旨意，特来救你。』登时鬼怪全无，仍是一片荒郊。宝玉拉着和尚说道：『我记得是你领我到这里，你一时又不见了。看见了好些亲人，只是都不理我，忽又变作鬼怪。到底是梦是真？望老师明白指示。』（愈发啰嗦幼稚。）那和尚道：『你到这里，曾偷看什么东西没有？』宝玉一想，道：『他既能带我到天仙福地，自然也是神仙了，如何瞒得他？况且正要问个明白。』便道：『我倒见了好些册子来着。』那和尚道：『可又来！你见了册子，还不解么？世上的情缘，都是那些魔障。只要把历过的事情细细记着，将来我与你说明。』（无可解，便只好视为魔障，只好皈依了和尚。）说着，把宝玉狠命的一推，说：『回去罢！』宝玉站不住脚，一跤跌倒，口里嚷道：『阿哟！』（这一段虽嫌杂乱，但可称全面温习。写而时习之，不亦说乎？）

大虚幻境，大荒无稽青埂，绛珠神瑛，顽石宝玉，和尚道士，本是不同层次的幻影、意念、想象。续作者驾驭这些形而上的东西的本领远远差于描绘形而下的人情世故，虽此回努力把这不同层次的东西统一起来，贯穿起来，读之仍颇似儿戏。不成样子。与作品开初几回对照，甚至有佛头着粪之感。这一死（一梦）完成了宝玉出家的精神准备。偷看了『册上诗句』，『俱牢牢记住』，这样的人是看破红尘的超人，已不是凡俗中人了。

王夫人等正在哭泣，听见宝玉苏醒来，连忙叫唤。宝玉睁眼看时，仍躺在炕上，见王夫人宝钗等哭的眼泡红肿。定神一想，心里说道：『是了，我是死去过来的。』遂把神魂所历的事呆呆的细想。幸喜多还记得，便哈哈的笑道：『是了，是了！』王夫人只道旧病复发，便好延医调治，即命丫头婆子快去告诉贾政，说是：『宝玉回过来了。头里原是心迷住了，如今说出话来，不用备办后事了。』贾政听了，即忙进来看视，果见宝玉苏醒来，便道：『没福的痴儿，你要唬死谁么？』说着，眼泪也不知不觉流下来了。又叹了几口气，仍出去叫人请医生，诊脉服药。

这里麝月正思自尽，见宝玉一过来，也放了心。（麝月未免自作多情。你算老几？）只见王夫人叫人端了桂圆汤，叫他喝了几口，渐渐的定了神。王夫人等放心，也没有说麝月，只叫人仍把那玉交给宝钗给他带上。想起那和尚来，『这玉不知那里找来的？也是古怪。怎么一时要银，一时又不见了？莫非是神仙不成？』宝钗道：『说起那和尚来的踪迹，去的影响，那玉并不是找来的；头里丢的时候，必是那和尚取去的。』（宝钗亦知天机乎？知天机而犹坚持禄蠹说教，亦『知其不可而为之』也。）王夫人道：『玉在家里，怎么能取的了去？』宝钗道：『既可送来，就可取去。』袭人麝月道：『那年丢了玉，林大爷测了个字，后来二奶奶过了门，我还告诉过二奶奶，说测的那字是什么『赏』字。二奶奶还记得么？』宝钗想道：『是了，你们说测的是当铺里找去，如今才明白了，竟是个和尚的『尚』字在上头，可不是和尚取了去的么？』（便不是以字测命运，而是以已知的经历曲意释字了。）王夫人道：『那和尚本来古怪。那年宝玉病的时候，那和尚来说是我们家有宝贝可解，说的就是这块玉了。他既知道，自然这块玉到底有些来历。况且你女婿养下来就嘴里含着的。古往今来，你们听见过这么第二个么？只是不知终久这块玉到底是怎么着，就连咱们这一个，也还不知是怎么着。病也是这块玉，好也是这块玉，生也是这块玉……』说到这里，忽然住了，又流下泪来。宝玉听了，心里却也明白，更想死去的事，愈加有因，只不言语，心里细细的记忆。（古往今来，这是永远的秘密。关于生命，关于运命，关于前世与来世。）

那时惜春便说道：『那年失玉，还请妙玉请过仙，说是「青埂峰下倚古松」，还有什么「入我门来一笑逢」的话。想起来「入我门」三字，大有讲究。佛教的法门最大，只怕二哥哥不能入得去。』（不但预示，而且一再凿实。）宝玉听了，又冷笑几声。宝钗听了，不觉的把眉头儿肐揪着，发起怔来。尤氏道：『偏你一说，又是佛门了。你出家的念头还没有歇么？』惜春笑道：『不瞒嫂子说，我早已断了荤了。』王夫人道：『好孩子，阿弥陀佛！这个念头是起不得的。』惜春听了，也不言语。宝玉想『青灯古佛前』的诗句，不禁连叹几声。忽又想起一床席一枝花的诗句来，拿眼睛看着袭人，不觉又流下泪来。（与袭人感情亦深，叫做生活比感情更感情。）众人都见他忽笑忽悲，也不解是何意，只道是他的旧病，岂知宝玉触处机来，竟能把偷看册上诗句俱牢牢记住了，只是不说出来，心中早有一个成见在那里了，（早有出家成见了。）暂且不提。

设若有轮回，有前生，你也不知前生后世，不知过去未来，不知前因后果，与无无异。这样，前生后世与无相通，轮回转世与无相通，

有即是无，无即是有。如果你认定了无，无便是前生，无便是后世，无中包含了一切。何待一梦冥中——『无』中自有一切。

且说众人见宝玉死去复生，神气清爽，又加连日服药，一天好似一天，渐渐的复原起来。便是贾政见宝玉已好，现在丁忧无事，想起贾赦不知几时遇赦，老太太的灵柩久停寺内，终不放心，欲要扶柩回南安葬，便叫了贾琏来商议。贾琏便道：『老爷想得极是。如今趁着丁忧，干了一件大事更好。将来老爷起了服，生恐又不能遂意了。但是我父亲不在家，侄儿呢又不敢僭越。老爷的主意很好，只是这件事也得好几千银子。衙门里缉赃，那是再缉不出来的。』贾政道：『我的主意是定了。只为大爷不在家，叫你来商议商议，怎么个办法。你是不能出门的，现在这里没有人；我为是好几口棺材，都要带回去的，一个人怎么样的照应呢？想起把蓉哥儿带了去，况且有他媳妇的棺材，也在里头。还有你林妹妹的，那时老太太的遗言，说跟着老太太一块儿回去的。我想这一项银子，只好在那里挪借几千，也就够了。』贾琏道：『如今的人情过于淡薄。老爷呢，又丁忧；我们老爷呢，又在外头。一时借是借不出来的了，只是拿房地文书出去押去。』（进一步衰败，房地文书也押出去了，这也是『一片白茫茫大地』了。）贾政道：『住的房子是官盖的，那里动得？』贾琏道：『住房是不能动的。外头还有几所，可以出脱的，等老爷起复后再赎也使得。（恰恰没有把握。）将来我父亲回来了，倘能也再起用，也好赎的。（未必。）只是老爷这么大年纪，辛苦这一场，侄儿们心里却不安。』贾政道：『老太太的事是应该的。只要你在家谨慎些，把持定了才好。』贾琏道：『老爷这倒只管放心，侄儿虽糊涂，断不敢不认真办理的。（糊涂又怎么认真？）况且老爷回南，少不得多带些人去，所留下的人也有限了，这点子费用，还可以过的来。就是老爷路上短少些，必经过赖尚荣的地方，可也

叫他出点力儿。』（空头希望。提一下赖尚荣，前事不忘，后事之痛。）贾政道：『自己的老人家的事，叫人家帮什么。』贾琏答应了『是』，便退出来，打算银钱。

贾政便告诉了王夫人，叫他管了家，自己便择了发引长行的日子，就要起身。宝玉此时身体复元，贾环贾兰倒认真念书，贾政都交付给贾琏，叫他管教，『今年是大比的年头，环儿是有服的，不能入场；兰儿是孙子，服满了也可以考的，务必叫宝玉同着侄儿考去。能够中一个举人，也好赎一赎咱们的罪名。』贾琏等唯唯应命。贾政又吩咐了在家的人，说了好些话，才别了宗祠，便在城外念了几天经，就发引下船，带了林之孝等而去。也没有惊动亲友，惟有自家男女送了一程回来。

宝玉因贾政命他赴考，王夫人便不时催逼，查考起他的工课来。那宝钗袭人时常劝勉，自不必说。那知宝玉病后，虽精神日长，他的念头一发更奇僻了，竟换了一种，不但厌弃功名仕进，竟把那儿女情缘也看淡了好些。（走向佛门。）只是众人不大理会，宝玉也并不说出来。

一日，恰遇紫鹃送了林黛玉的灵柩回来，闷坐自己屋里啼哭，想着：『宝玉无情，见他林妹妹的灵柩回去，并不伤心落泪；见我这样痛哭，也不来劝慰，反瞅着我笑。这样负心的人，从前都是花言巧语来哄着我们。前夜亏我想得开，不然，几乎又上了他的当。只是一件叫人不解：如今我看他待袭人等也是冷冷儿的。二奶奶是本来不喜欢亲热的，麝月那些人就不抱怨他么？我想女孩子们多半是痴心的，白操了那些时的心，看将来怎样结局！』（紫鹃种种怨嗟，未免多余，但不写这些，紫鹃、五儿之属，还有什么戏呢？）正想着，只见五儿走来瞧他。见紫鹃满面泪痕，便说：『姐

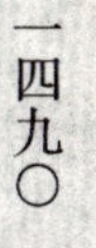

姐又想林姑娘了？想一个人，闻名不如眼见。头里听着宝二爷女孩子跟前是最好的，我母亲再三的把我弄进来。岂知我进来了，尽心竭力的伏侍了几次病，如今病好了，连一句好话也没有剩出来，如今索性连眼儿也都不瞧了。』（五儿也来起哄。）紫鹃听他说的好笑，便『噗嗤』的一笑，啐道：『呸，你这小蹄子！你心里要宝玉怎么个样儿待你才好？女孩儿家也不害臊！连名公正气的屋里人瞧着他还没事人一大堆呢，有功夫理你去！』因又笑着，拿个指头往脸上抹着，问道：『你到底算宝玉的什么人哪？』那五儿听了，自知失言，便飞红了脸。待要解说不是要宝玉怎样看待，说他近来不怜下的话，只听院门外乱嚷，说：『外头和尚又来了，要那一万银子呢。太太着急，叫琏二爷和他讲去，偏偏琏二爷又不在家。那和尚在外头说些疯话，太太叫请二奶奶过去商量。』（和尚的事也太啰嗦了。这样的段落，倒真是像续作假托了。）不知怎样打发那和尚，下回分解。

又一番太虚幻境，温习一下前因后果、已死诸人，完成宝玉的思想发展转变，这种设计不无道理。唯写得杂乱乃至时有鄙俗（尤三姐提剑要砍之类），与第五回相比，欠深度欠高雅欠集中。胡乱闪过，不精粹也未精心剪辑。这样读起来，就更像信口开河了。更像只有『满纸荒唐言』，却没有『一把辛酸泪』，更没有耐解的真味了。

世上有各种学者、医生研究人的死亡、濒死、假死、暂时死亡又复生等等，文学作品中也常有死而复生、一缕香魂回转的描写。这里对于宝玉的死了一遭的描写，虽不细腻，仍然很像是那么回事。

即使有彼岸，仍然难相通，写到此点，令人惊心！

第一百十七回　阻超凡佳人双护玉　欣聚党恶子独承家

话说王夫人打发人来叫宝钗过去商量，宝玉听见说是和尚在外头，赶忙的独自一人走到前头，嘴里乱嚷道：『我的师父在那里？』叫了半天，并不见有和尚，只得走到外面。见李贵将和尚拦住，不放他进来。宝玉便说道：『太太叫我请师父进去。』李贵听了，松了手，那和尚便摇摇摆摆的进去。宝玉看见那僧的形状与他死去时所见的一般，心里早有些明白了，便上前施礼，连叫：『师父，弟子迎候来迟。』那僧说：『我不要你们接待，只要银子拿了来，我就走。』（又是搅屎棍形象，搅屎笔墨了。外观亦是这样。）心里想道：『自古说，「真人不露相，露相不真人」，也不可当面错过。我且应了他谢银，并探探他的口气。』便说道：『师父不必性急。现在家母料理，请师父坐下，略等片刻。弟子请问师父，可是从太虚幻境而来？』那和尚道：『什么「幻境」！不过是来处来，去处去罢了。我是送还你的玉来的。且我问你，那玉是从那里来的？』宝玉一时对答不来，那僧笑道：『你自己的来路还不知，便来问我！』（来自大荒，来自女娲淘汰。谁能知道『来路』？）宝玉本来颖悟，又经点化，早把红尘看破，只是自己的底里未知。一闻那僧问起玉来，好像当头一棒，便说道：『你也不用银子了，我把那玉还你罢。』那僧笑道：『也该还我了。』

宝玉也不答言，往里就跑。走到自己院内，见宝钗袭人等都到王夫人那里去了，忙向自己床边取了那玉，便走出来。迎面碰见了袭人，撞了一个满怀，把袭人唬了一跳，说道：『太太说你陪着和尚坐着很好，太太在那里打算送他些银两，你又回来做什么？』宝玉道：『你快去回太太说，不用张罗银两了，我把这玉还了他就是了。』

袭人听说，即忙拉住宝玉，道：『这断使不得的！那玉就是你的命，若是他拿了去，你又要病着了。』（和尚搅完袭人搅，袭人一搅，便成了闹剧了。）宝玉道：『如今再不病的了。我已经有了心了，要那玉何用？』摔脱袭人，便要想走。袭人急得赶着嚷道：『你回来，我告诉你一句话！』宝玉回过头来道：『没有什么说的了。』袭人顾不得什么，一面赶着跑，一面嚷道：『上回丢了玉，几乎没有把我的命要了！刚刚儿的有了，他拿了去，你也活不成，我也活不成了！你要还他，除非是叫我死了！』（你死得着么？）说着，赶上一把拉住。宝玉急了，道：『你死也要还，你不死也要还！』狠命的把袭人一推，抽身要走。怎奈袭人两只手绕着宝玉的带子不放松，哭喊着坐在地下。（果然闹剧场景。）

（袭人护玉，使人生悲剧变成人生闹剧。使搅屎笔墨变成玩世（愤世、嘲世）笔墨。这也是以毒攻毒。和尚搅来，袭人搅去，一场沉重的悲剧变成不可以理喻的闹剧，两个浅薄变成了一点深刻，有点『现代意识』了呢。）

里面的丫头听见，连忙赶来，瞧见他两个人的神情不好。只听见袭人哭道：『快告诉太太去！宝二爷要把玉去还和尚呢！』丫头赶忙飞报王夫人。那宝玉更加生气，用手来掰开了袭人的手，幸亏袭人忍痛不放。紫鹃在屋里听见宝玉要把玉给人，这一急比别人更甚，把素日冷淡宝玉的主意都忘在九霄云外了，连忙跑出来，帮着抱住宝玉。（其实没有紫鹃的事。这不是紫鹃的性格，也不是紫鹃的使命。）那宝玉虽是个男人，用力摔打，（居然武斗起来了。文斗升级到武斗，更可笑也更近收场了。）怎奈两个人死命的抱住不放，也难脱身，叹口气道：『为一块玉，这样死命的不放，若是我一个人走了，又待怎么样呢？』袭人紫鹃听到那里，不禁嚎啕大哭起来。

正在难分难解，王夫人宝钗急忙赶来。见是这样形景，便哭着喝道：『宝玉！你又疯了吗！』宝玉见王夫人来了，明知不能脱身，只得陪笑道：『这当什么，又叫太太着急。他们总是这样大惊小怪的，我说那和尚不近人情，他必要一万银子，少一个不能。我生气进来，拿这玉还他，就说是假的，要这玉干什么？他见得我们不希罕那玉，便随意给他些，就过去了。』（宝玉也来得快，果然练达起来了。看破红尘方能和光同尘。也是以毒攻毒。）王夫人道：『我打谅真要还他，这也罢了，为什么不告诉明白了他们？叫他们哭哭喊喊的像什么。』宝钗道：『这么说呢，倒还使得。要是真拿那玉给他，那和尚有些古怪，倘或一给了他，又闹到家口不宁，岂不是不成事了么？至于银钱呢，就把我的头面折变了，也还够了呢。』（使得怎样？使不得怎样？不成事了怎样？你掉包嫁给宝玉就使得吗？就成事吗？家口就宁了吗？）王夫人听了，道：『也罢了，且就这么办罢。』宝玉也不回答。（人以玉名，玉随人生，玉成人命，人由玉成，护玉护人，献玉献身，乌烟瘴气，人玉皆空。）

只见宝钗走上来，在宝玉手里拿了这玉，说道：『你也不用出去，我合太太给他钱就是了。』宝玉道：『玉不还他也使得，只是我还得当面见他一见才好。』袭人等仍不肯放手。到底宝钗明决，说：『放了手，由他去就是了。』袭人只得放手。宝玉笑道：『你们这些人，原来重玉不重人哪！你们既放了我，我便跟着他走了，看你们就守着那块玉怎么样？』（此话有分量。）袭人心里又着急起来，仍要拉他，只碍着王夫人和宝钗的面前，又不好太露轻薄，恰好宝玉一撒手就走了。袭人忙叫小丫头在三门口传了焙茗等：『告诉外头照应着二爷，他有些疯了。』（疯之有理。）小丫头答应了出去。

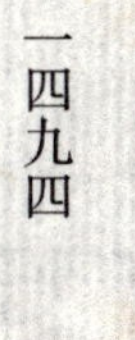

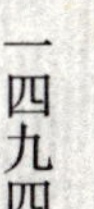

（玉是管得住的，人是管不住的，所以宝钗明决『放了手由他去』，不放手也是做不到的。宝玉反唇相讥：『重玉不重人。』其实不是不重人，他们重的是让宝玉符合自己的心愿，成为贾府的合格继承人，复兴家业，光宗耀祖。而不重宝玉这个人的感情、愿望、志趣……前文评者曾多次论及『红』尚缺少一种人文主义的精神，但此句很不一般，是对人的呼唤，是人对玉——出身、门第、地位、象征物——的抗议。）

王夫人宝钗等进来坐下，问起袭人来由，袭人便将宝玉的话细细说了。王夫人宝钗甚是不放心，又叫人出去，吩咐众人伺候着和尚说些什么。回来，小丫头传话进来回王夫人道：『二爷真有些疯了。外头小厮们说：里头不给他玉，他也没法儿；如今身子出来了，求着那和尚带了他去。』王夫人听了，说道：『这还了得！那和尚说什么来着？』小丫头回道：『和尚说，要玉不要人。』宝钗道：『不要银子了么？』小丫头道：『没听见说。后来和尚合二爷两个人说着笑着，有好些话，外头小厮们都不大懂。』王夫人道：『糊涂东西！听不出来，学是自然学得来的。』便叫小丫头：『你把那小厮叫进来。』小丫头连忙出去叫进那小厮，站在廊下，隔着窗户请了安。王夫人便问道：『和尚和二爷的话，你们不懂，难道学也学不来吗？』那小厮回道：『我们只听见说什么「大荒山」，什么「青埂峰」，又说什么「太虚境」「斩断尘缘」这些话。』（不直接描写宝玉与和尚的谈话，而是通过结巴巴的小厮之口，这是比较聪明的选择。盖这种谈话，就像这块玉的故事一样，只可意会，不可言传。过于『实』地一言传，反而『砸』了。）王夫人听了也不懂。宝钗听了，唬得两眼直瞪，半句话都没有了。（宝钗知道斩断尘缘的危险。）

正要叫人出去拉宝玉进来，只见宝玉笑嘻嘻的进来，说：『好了，好了！』宝钗仍是发怔。王夫人道：『你疯疯癫癫的说是什么？」宝玉道：『正经话，又说我疯癫！那和尚与我原认得的，他不过也是要来见我一见。他何尝是真要银子呢，也只当化个善缘就是了。所以说明了，他自己就飘然而去了。这可不是好了么！』王夫人不信，又隔着窗户问那小厮。那小厮连忙出去问了门上的人，进来回说：『果然和尚走了，说请太太们放心，我原不要银子，只要宝二爷时常到他那里去去就是了。诸事只要随缘，自有一定的道理。』王夫人道：『原来是个好和尚，（不要钱就是好和尚？）你们曾问住在那里？』门上道：『奴才也问来着，他说我们二爷是知道的。』王夫人问宝玉道：『他到底住在那里？』宝玉笑道：『这个地方，说远就远，说近就近。』宝钗不待说完，便道：『你醒醒儿罢，别尽着迷在里头！现在老爷太太就疼你一个人，老爷还吩咐叫你干功名长进呢。』（宝钗清醒地意识到了乃至预见到了事物发展的趋势。但她也没有别的选择。她的『一贯正确』束缚住了她的手脚，她一无作为，一筹莫展。想当年未嫁时她还相当厉害呢！出嫁后唯有『正确』，却无灵机与锋芒了。）宝玉道：『我说的不是功名么？你们不知道「一子出家，七祖升天」呢。』王夫人听到那里，不觉伤心起来，说：『我们的家运怎么好？一个四丫头口口声声要出家，如今又添出一个来了。我这样个日子，过他做什么！』说着，大哭起来。宝钗见王夫人伤心，只得上前苦劝。宝玉笑道：『我说了这句玩话，太太又认起真来了。』王夫人止住哭声道：『这些话也是混说的么？』

正闹着，只见丫头来回话：『琏二爷回来了，颜色大变，说请太太回去说话。』（一波未平，一波又起。不但又要死人，而且把贾政、贾琏都『支派』出去，使贾府彻底进入无政府无『王法』状态，写其败落就更彻底，更淋漓尽致。）王夫人又吃了一惊，说道：『将就些叫他进来罢，小婶子也是旧亲，不用回避了。』贾琏进来见了王夫人，请了安。宝钗迎着，也问了贾琏的安。

回说道：『刚才接了我父亲的书信，说是病重的很，叫我就去，若迟了恐怕不能见面。』说到那里，眼泪便掉下来了。王夫人道：『书上写的是什么病？』贾琏道：『写的是感冒风寒起来的，如今成了痨病了。现在危急，专差一个人连日连夜赶来的，说「如若再耽搁一两天，就不能见面了」。（这个完蛋了那个完蛋，还嫌不够干净吗？只能在续作中设一重机枪，见一个射杀一个矣。）故来回太太，侄儿必得就去才好。只是家里没人照管。蔷儿芸儿虽说糊涂，到底是个男人，外头有了事来，还可传个话。侄儿家里倒没有什么事。秋桐是天天哭着喊着，不愿意在这里，侄儿叫了他娘家的人来领了去了，倒省了平儿好些气。虽是巧姐没人照应，还亏平儿的心不很坏。姐儿心里也明白，只是性气比他娘还刚硬些，求太太时常管教管教他。』（贾政已走，贾琏再去，贾府大不妙矣。）说着，眼圈儿一红，连忙把腰里拴槟榔荷包的小绢子拉下来擦眼。王夫人道：『放着他亲祖母在那里，托我做什么？』贾琏轻轻的说道：『太太要说这个话，侄儿就该活活儿的打死了。没什么说的，总求太太始终疼侄儿就是了。』说着，就跪下来了。（越描越不像了。）王夫人也眼圈儿红了，说：『你快起来，娘儿们说话儿，这是怎么说？只是一件，孩子也大了，倘或你父亲有个一差二错，又耽搁住了，或者有个门当户对的来说亲，还是等你回来，还是你太太作主？』贾琏道：『现在太太们在家，自然是太太们做主，不必等我。』（这是故意留下空子。第一，巧姐并没有那么大。第二，完全可以与贾琏取得联系。巧姐的婚事本无紧迫感。）王夫人道：『你要去，就写了禀帖给二老爷送个信，说家下无人，你父亲不知怎样，快请二老爷将老太太的大事早早的完结，快快回来。』

贾琏答应了『是』，正要走出去，复转回来，回说道：『咱们家的家下人，家里还够使唤，只是园里没有人，太空了。包勇又跟了他们老爷去了。姨太太住得房子，薛二爷已搬到自己的房子内住了。园里一带屋子都空着，忒没照应，还得太太叫人常查看查看。那栊翠庵原是咱们家的地基，如今妙玉不知那里去了，所有的根基，他的当家女尼不敢自己作主，要求府里一个人管理管理。』（这些地方只是交代照应，并无文学性文字。）王夫人道：『自己的事还闹不清，还搁得住外头的事么？这句话，好歹别叫四丫头知道；若是他知道了，又要吵着出家的念头出来了。你想，咱们家什么样的人家，好好的姑娘出了家，还了得！』贾琏道：『太太不提起，侄儿也不敢说。四妹妹到底是东府里的，又没有父母，他亲哥哥又在外头，他亲嫂子又不大说的上话，侄儿听见要寻死觅活了好几次。他既是心里这么着的了，若是牛着他，将来倘或认真寻了死，比出家更不好了。』王夫人听了点头，道：『这件事真真叫我也难担，我也做不得主，由他大嫂子去就是了。』（借春出家事纠缠过来又纠缠过去，费的笔墨不少，像样的情节、情感、举动描写没有。翻过来掉过去，反正她要出家。反正她留不住。反正也激不起读者留她莫出家的感情。）

宝玉、惜春，这是又一股消解体制的势力。虽然只是逃避，却表现了他们对于家族命运的绝望、漠然与蔑视。

贾琏又说了几句，才出来，叫了众家人来，交代清楚，写了书，收拾了行装。平儿等不免叮咛了好些话。只有巧姐儿惨伤的了不得。贾琏又欲托王仁照应，巧姐到底不愿意；听见外头托了芸蔷二人，心里更不受用，嘴里却说不出来。只得送了他父亲，谨谨慎慎的随着平儿过日子。丰儿小红因凤姐去世，告假的告假，告病的告病。平儿意欲接了家中一个姑娘来，一则给巧姐作伴，二则可以带量他。遍想无人，只有喜鸾四姐儿是贾母旧日钟爱的，偏偏四姐儿新近出了嫁了，喜鸾也有了人家儿，不日就要出阁，也只得罢了。（运气丧尽，人气全无。）

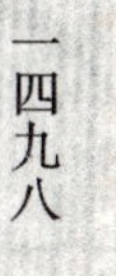

且说贾芸贾蔷送了贾琏，便进来见了邢王二夫人。他两个倒替着在外书房住下，日间便与家人厮闹，有时找了几个朋友吃个『车轮辘会』，甚至聚赌。（引狼入室。）里头那里知道。一日，邢大舅王仁来，瞧见了贾芸贾蔷住在这里，知他热闹，也就借着照看的名儿时常在外书房设局赌钱喝酒。所有几个正经的家人，贾政带了几个去，贾琏又跟去了几个，只有那赖林诸家的儿子侄儿。那些少年，托着老子娘的福吃喝惯了的，那知当家立计的道理？况且他们长辈都不在家，便是『没笼头的马』了。又有两个旁主人怂恿，无不乐为。这一闹，把个荣国府闹得没上没下，没里没外。

大户之家，鼎盛之时饱受奉承羡妒；不知不觉之中，有理无理地不知冷淡、得罪、挫折了多少围上来的人，乃至自己家族中的人。他们其实是在隔膜与敌意的包围之中，其势甚危。何三——黑道，这是一股反对势力。如今这批人更是可怕，他们是内部的反对势力，只想报复、破坏、掠夺，从内部把这个家族的最后一点尚称美好的东西扼杀干净。

那贾蔷还想勾引宝玉。贾芸拦住道：『宝二爷那个人去运气的，不用惹他。那一年我给他说了一门子绝好的亲，父亲在外头做税官，家里开几个当铺，姑娘长的比仙女儿还好看。我巴巴儿的细细的写了一封书子给他，谁知他没造化……』（这一类回溯交代，不写也罢。）说到这里，瞧了瞧左右无人，又说：『他心里早和咱们这个二婶娘好上了。你没听见说，还有一个林姑娘呢，弄的害了相思病死的，谁不知道！这也罢了，各自的姻缘罢咧。谁知他为这件事倒恼了我了，总不大理。他打谅谁必是借谁的光儿呢！』（用贾芸的眼光评宝玉，当然也只有丑闻一串串。）

贾蔷听了，点点头，才把这个心歇了。他两个还不知道宝玉自会那和尚以后，他是欲断尘缘，一则在王夫人跟前不敢任性，已与宝钗袭人等皆不大款洽了。那些丫头不知道，还要逗他，宝玉那里看得到眼里。他也并不将家事放在心里。时常王夫人宝钗劝他念书，他便假作攻书，一心想着那个和尚引他到那仙境的机关，心目中触处皆为俗人。却在家难受，闲来倒与惜春闲讲。他们两个人讲得上了，那种心更加准了几分，那里还管贾环贾兰等。那贾环为他父亲不在家，赵姨娘已死，王夫人不大理会，他便入了贾蔷一路。（各有各的机遇，如今，芸、蔷、环的时机到来了。）倒是彩云时常规劝，反被贾环辱骂。玉钏儿见宝玉疯癫更甚，早和他娘说了，要求着出去。（渣滓们也有浮上来的时候。）如今宝玉贾环，他哥儿两个，各有一种脾气，闹得人人不理。独有贾兰跟着他母亲上紧攻书，作了文字，送到学里请教代儒。因近来代儒老病在床，只得自己刻苦。李纨是素来沉静，除了请王夫人的安，会会宝钗，余者一步不走，只有看着贾兰攻书。所以荣府住的人虽不少，竟是各自过各自的，谁也不肯做谁的主。贾环贾蔷等愈闹的不像事了，甚至偷典偷卖，不一而足。贾环更加宿娼烂赌，无所不为。（谁也不肯做谁的主，这就进入了无政府状态。于是贾府竟成了芸、蔷、邢大舅、王仁等的天下。）

贾母死了，贾府再没有了头。凤姐死了，贾府再没有行政总管。贾政贾琏「出差」，宝玉惜春打算出家，全完了。遗憾的是王夫人屁用不顶。宝钗本参与过管理，如今也不闻不问。

一日，邢大舅王仁都在贾家外书房喝酒，一时高兴，叫了几个陪酒的来唱着喝着劝酒。贾蔷便说：『你们闹的太俗，我要行个令儿。』众人道：『使得。』贾蔷道：『咱们「月」字流觞罢。我先说起，「月」字数到那个，便是那个喝酒。还要酒面酒底，须得依着令官，不依者罚三大杯。』众人都依了。贾蔷喝了一杯令酒，便说：『飞羽觞而醉月。』

顺饮数到贾环。贾蔷说：『酒面要个「桂」字。』贾环便说道：『冷露无声湿桂花。酒底呢？』贾蔷道：『说个「香」字。』贾环道：『天香云外飘。』（酒令更加通俗化大众化，是「红」中各酒令中最普及最有生命力——至今原样保持的一种。）大舅说道：『没趣，没趣！你又懂得什么字了，也假斯文起来！这不是取乐，竟是怄人了。咱们都蠲了。倒是搳搳拳，输家喝，输家唱，叫作「苦中苦」。若是不会唱的，说个笑话儿也使得，只要有趣。』众人都道：『使得。』于是乱搳起来。王仁输了，喝了一杯，唱了一个，众人道：『好！』又搳起来了，是个陪酒的输了，唱了一个什么『小姐小姐多丰彩』。以后邢大舅输了，众人要他唱曲儿。他道：『我唱不上来的，我说个笑话儿罢。』贾蔷道：『若说不笑，仍要罚的。』邢大舅就喝了一杯，便说道：『诸位听着：村庄上有一座元帝庙，旁边有个土地祠。那元帝老爷常叫土地来说闲话儿。一日，元帝庙里被了盗，便叫土地去查访。土地禀道：「这地方没有贼的，必是神将不小心，被外贼偷了东西去。」元帝道：「胡说！你是土地，失了盗，不问你问谁去呢？你倒不去拿贼，反说我的神将不小心吗？」土地禀道：「虽说是不小心，到底是庙里的风水不好。」元帝道：「你倒会看风水么？」土地道：「待小神看看。」那土地向各处瞧了一会，便来回禀道：「老爷坐的身子背后，两扇红门，就不谨慎。小神坐的背后，是砌的墙，自然东西丢不了。以后老爷的背后亦改了墙就好了。」元帝老爷听来有理，便叫神将派人打墙。众神将叹口气道：「如今香火一炷也没有，那里有砖灰人工来打墙？」元帝老爷没法，叫神将作法，却都没有主意。那元帝老爷脚下的龟将军站起来道：「你们不中用，我有主意：你们将红门拆下来，到了夜里，拿我的肚子垫住这门口，难道当不得一堵墙么？」众神将都说道：「好！又不花钱，又便当结实。」于是龟将军便当这个差使，竟安静了。岂知过了几天，那庙里又丢了东西。

众神将叫了土地来，说道：「你说砌了墙就不丢东西，怎么如今有了墙还要丢？」那土地道：「这墙砌的不结实。」众神将道：「你瞧去。」土地一看，果然是一堵好墙，怎么还有失事？把手摸了一摸，道：「我打谅是真墙，那里知道是个『假墙』！」」（邢大舅的诌劲也不小。这个笑话的路子恁像第十九回宝玉给黛玉讲的『耗子精』『林子洞』故事。）

众人听了，大笑起来。贾蔷也忍不住的笑，说道：「傻大舅，你好！我没有骂你，你为什么骂我？快拿杯来罚一大杯。」邢大舅喝了，已有醉意。众人又喝了几杯，都醉起来。邢大舅说他姐姐不好，王仁说他妹妹不好，都说的狠狠毒毒的。贾环听了，趁着酒兴，也说凤姐不好，怎样苛刻我们，怎么样踏我们的头。（苛刻云云，实际是要求对权力与财富进行再分配。）众人道：「大凡做个人，原要厚道些。看凤姑娘仗着老太太这样的利害，如今「焦了尾巴梢子」了，只剩了一个姐儿，只怕也要现世现报呢！」贾芸想着凤姐待他不好，又想起巧姐儿见他就哭，也信着嘴儿混说。还是贾蔷道：「喝酒罢，说人家做什么？」那两个陪酒的道：「这位姑娘多大年纪了？长得怎么样？」贾蔷道：「模样儿是好的很的，年纪也有十三四岁了。」那陪酒的说道：「可惜这样人生在府里这样人家，若生在小户人家，父母兄弟都做了官，还发了财呢。」众人道：「怎么样？」那陪酒的说：「现今有个外藩王爷，最是有情的，要选一个妃子，若合了式，父母兄弟都跟了去，可不是好事儿吗？」众人都不大理会，只有王仁心里略动了一动，仍旧喝酒。

只见外头走进赖林两家的子弟来，说：「爷们好乐呀！」（老一辈都还好，子弟都坏。这是实情，也是一面之词。）众人站起来说道：「老大老三，怎么这时候才来？叫我们好等！」那两个人说道：「今早听见一个谣言，说是咱们

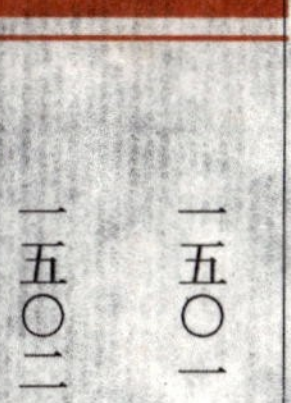
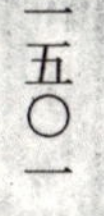

家又闹出事来了。心里着急，赶到里头打听去，并不是咱们。」众人道：「不是咱们就完了，为什么不就来？」那两个说道：「虽不是咱们，也有些干系。你们知道是谁？就是贾雨村老爷。我们今儿进去，看见带着锁子，说要解到三法司衙门里审问去呢。（因嫌纱帽小，致使锁枷扛！是生活『小儿科』还是小说『小儿科』？）我们见他常在咱们家里来往，恐有什么事，便跟了去打听。」贾芸道：「到底老大用心，原该打听打听。你且坐下喝一杯再说。」

两人让了一回，便坐下喝着酒，道：「这位雨村老爷，人也能干，也会钻营，官也不小了，只是贪财。被人家参了个「婪索属员」的几款。如今的万岁爷是最圣明最仁慈的，独听了一个「贪」字，或因遭塌了百姓，或因恃势欺良，是极生气的，所以旨意便叫拿。若问出来了，只怕搁不住；若是没有的事，那参的人也不便。如今真真是好时候，只要有造化，做个官儿就好。」（官海浮沉，波谲云诡。）众人道：「你的哥哥就是有造化的，现做知县，还不好么？」赖家的说道：「我哥哥虽是做了知县，他的行为，只怕也保不住怎么样呢。」众人道：「手也长么？」赖家的点点头儿，便举起杯来喝酒。众人又道：「里头还听见什么新闻？」两人道：「别的事没有，只听见海疆的贼寇拿住了好些，也解到法司衙门里审问。还审出好些贼寇，也有藏在城里的，打听消息，抽空儿就劫抢人家。如今知道朝里那些老爷们都是能文能武，出力报效，所到之处，早就消灭了。」（可惜这些段落但见絮叨，不见灵气。）众人道：「你听见有在城里的，不知审出咱们家失盗了一案来没有？」两人道：「倒没有听见，恍惚有人说是有个内地里的人，城里犯了事，抢了一个女人下海去了，那女人不依，被这贼寇杀了。那贼寇正要逃出关去，被官兵拿住了，就在拿获的地方正了法了。」（模糊化处理。）众人道：「咱们栊翠庵的什么妙玉，不是叫人抢去，不

要就是他罢？』贾环道：『必是他。』众人道：『你怎么知道？』贾环道：『妙玉这个东西是最讨人嫌的，他一日家捏酸，见了宝玉，就眉开眼笑了。我若见了他，他从不拿正眼瞧我一瞧。真要是他，我才趁愿呢！』（以贾环之眼评论妙玉，另有一番言之有理的高论。恐怕情况属实。但也犯不上希望人家死。太狠毒了。）众人道：『抢的人也不少，那里就是他？』贾芸道：『有点信儿。前日有见人说他庵里的道婆做梦，说看见是妙玉叫人杀了。』众人笑道：『梦话算不得。』邢大舅道：『管他梦不梦，咱们快吃饭罢，今夜做个大输赢。』

从某种意义上说，邢大舅、王仁、贾环、贾芸、贾蔷都是无权的、受压的一派。他们对贾家的得势的贾母——王夫人——凤姐（夫妇）充满仇恨，他们应有『造反有理』的一面。作者基本上还是站在主流派一边写挽歌，也写他们的罪恶——忏悔录。至于『造反派』们，包括何三勾引来的匪盗，则更恶劣，更不择手段。

众人愿意，便吃毕了饭，大赌起来。（聚赌，也是传播消息的良机。）赌到三更多天，只听见里头乱嚷，说是：『四姑娘合珍大奶奶拌嘴，把头发都铰掉了。赶到邢夫人王夫人那里去磕了头，说是要求容他做尼姑呢，送他一个地方；若不容他，他就死在眼前。那邢王两位太太没主意，叫请蔷大爷芸二爷进去。』贾芸听了，便知是那回看家的时候起的念头，想来是劝不过来的了，便合贾蔷商议道：『太太叫我们进去，我们是做不得主的，况且也不好做主。只好劝去，若劝不住，只好由他们罢。咱们商量了写封书给琏二叔，便卸了我们的干系了。』两人商量定了主意，进去见了邢王两位太太，便假意的劝了一回。

无奈惜春立意必要出家，就不放他出去，只求一两间净屋子，给他诵经拜佛。尤氏见他两个不肯作主，又怕惜春寻死，自己便硬做主张，说是：『这个不是，索性我耽了罢。说我做嫂子的容不下小姑子，逼他出了家了，就完了。若说到外头去呢，断断使不得；若在家里呢，太太们都在这里，算我的主意罢。叫蔷哥儿写封书子给你珍大爷琏二叔就是了。』贾蔷等答应了。不知邢王二夫人依与不依，下回分解。（惜春人物写得扁平，出家写得寡淡。）

护玉也罢，这个、那个要出家也罢，贾环等人的言语也罢，让人意识到恶俗终将吞噬、荡涤高雅。高雅永远不是恶俗的对手，形而上与终极，永远不是形而下与一时的机会主义的对手。

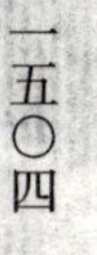

第一百十八回 记微嫌舅兄欺弱女 惊谜语妻妾谏痴人

话说邢王二夫人听尤氏一段话，明知也难挽回。王夫人只得说道：『姑娘要行善，这也是前生的夙根，我们也实在拦不住。只是咱们这样人家的姑娘出了家，不成了事体。如今你嫂子说了，准你修行，也是好处。却有一句话要说，那头发可以不剃的，只要自己的心真，那在头发上头呢？你想妙玉也是带发修行的。不知他怎样凡心一动，才闹到那个分儿。（又说是妙玉『凡心一动』。）姑娘执意如此，我们就把姑娘住的房子便算了姑娘的静室。所有服侍姑娘的人，也得叫他们来问：他若愿意跟的，就讲不得说亲配人；若不愿意跟的，另打主意。』惜春听了，收了泪，拜谢了邢王二夫人、李纨、尤氏等。王夫人说了，便问彩屏等：『谁愿跟姑娘修行？』彩屏等回道：『太太们派谁就是谁。』王夫人知道不愿意，正在想人。袭人立在宝玉身后，想来宝玉必要大哭，防着他的旧病。岂知宝玉叹道：『真真难得！』袭人心里更自伤悲。宝钗虽不言语，遇事试探，见是执迷不醒，只得暗中落泪。

王夫人才要叫了众丫头来问，忽见紫鹃走上前去，在王夫人面前跪下，回道：『刚才太太问跟四姑娘的姐姐，太太看着怎么样？』（紫鹃挺身而出。紫鹃埋怨宝玉无情，自己先行无情之事。天生我材——作家写角色必有用。恰恰这时，斜刺里杀出一个紫鹃来，除了她，又能是谁呢？）王夫人道：『这个如何强派得人的？谁愿意，他自然就说出来了。』紫鹃道：『姑娘修行，自然姑娘愿意，并不是别的姐姐们的意思。我有句话回太太：我也并不是拆开姐姐们，各人有各人的心。我服侍林姑娘一场，林姑娘待我，也是太太们知道的，实在恩重如山，无以可报。他死了，我恨不得跟了他去，但是他不是这里的人，我又受主子家的恩典，难以从死。如今四姑娘既要修行，我就求太太们将我派了跟着姑娘，伏侍姑娘一辈子，不知太太们准不准？若准了，就是我的造化了。』（既然紫鹃有此情志，何必还搞什么护玉？主子有恩，奴才殉亡。如此看来，主子还是狼心狗肺的好。奴才还是不忠不义的好。这也是天下皆知美之为美，斯有不美矣。）

（用洋一点的比喻，这真是一种『绞肉机』效应。所有美好的生命、情感、青春，或被扼杀（黛玉、晴雯），或自杀（尤三姐、司棋、可卿、鸳鸯），或被蹂躏（迎春、香菱），或被迫出家（芳官、惜春，最后还有宝玉）。仅有的完全合作完全正统完全正确的宝钗，也只是『竹篮打水一场空』而已。天地不仁，以万物为刍狗。贾府不仁，绞去所有的肉。）

邢王二夫人尚未答言，只见宝玉听到那里，想起黛玉，一阵心酸，眼泪早下来了。众人才要问他时，他又哈哈的大笑，走上来道：『我不该说的。这紫鹃蒙太太派给我屋里，我才敢说：求太太准了他罢，全了他的好心。』（出家自然不比出嫁。然而出家就能逃离『绞肉机』的运作吗？芳官呢？妙玉呢？以及智能儿呢？）王夫人道：『你头里姊妹出了嫁，还哭得死去活来；如今看见四妹妹要出家，不但不劝，倒说「好事」。你如今到底是怎么个意思？我索性不明白了。』

宝玉道：『四妹妹修行是已经准的了，四妹妹也是一定主意了？若是真的，我有一句话告诉太太；若是不定的，我就不敢混说了。』惜春道：『二哥哥说话也好笑，一个人主意不定，便扭得过太太们来了？我也是像紫鹃的话，容我呢，是我的造化；不容我呢，还有一个死呢。那怕什么？二哥哥既有话，只管说。』宝玉道：『我这也不算什么泄漏了，这也是一定的。我念一首诗给你们听听罢。』众人道：『人家苦得很的时候，你倒来做诗怄人。』宝玉道：『不是做诗，我到一个地方儿看了来的。你们听听罢。』众人道：『使得。你就念念，别顺着嘴儿胡诌。』宝玉也不分辩，便说道：

勘破三春景不长，缁衣顿改昔年妆。

可怜绣户侯门女，独卧青灯古佛旁！（这样拿出来『背诵』，泄露天机，颇觉不伦不类。不像天机，倒像三流文笔的快板。）

李纨宝钗听了诧异道：『不好了！这人入了迷了。』王夫人听了这话，点头叹息，便问：『宝玉，你到底是那里看来的？』宝玉不便说出来，回道：『太太也不必问我，自有见的地方。』王夫人回过味来，细细一想，便更哭起来道：『你说前儿是玩话，怎么忽然有这首诗？罢了，我知道了，你们叫我怎么样呢？我也没有法儿了，也只得由着你们去罢！但是要等我合上了眼，各自干各自的就完了。』（哭得问得都像白痴。）

宝钗一面劝着，这个心比刀绞更甚，也掌不住，便放声大哭起来。（宝钗出嫁后变得如此无能。）袭人已经哭的死去活来，幸亏秋纹扶着。宝玉也不啼哭，也不相劝，只不言语。贾兰贾环听到那里，各自走开。李纨竭力的解说：『总是宝兄弟见四妹妹修行，他想来是痛极了，不顾前后的疯话，这也作不得准的。独有紫鹃的事情，准不准，好叫他起来。』王夫人道：『什么依不依？横竖一个人的主意定了，那也是扭不过来的。可是宝玉说的，也是一定的了。』（王夫人竟偶有不得不承认个人意志之语。恐亦是顺水推舟。不然，『派』谁去跟着惜春出家呢？）

紫鹃听了磕头。惜春又谢了王夫人。紫鹃又给宝玉宝钗磕了头。宝玉念声：『阿弥陀佛！难得，难得！不料你倒先好了。』宝钗虽然有把持，也难掌住。只有袭人也顾不得王夫人在上，便痛哭不止，说：『我也愿意跟了四姑娘去修行。』宝玉笑道：『你也是好心，但是你不能享这个清福的。』袭人哭道：『这么说，我是要死的了？』（自我设计别是一路。岂能泾渭合流？）宝玉听到那里，倒觉伤心，只是说不出来。因时已五更，宝玉请王夫人安歇。李纨等各自散去。彩屏等暂且伏侍惜春回去，后来指配了人家。紫鹃终身伏侍，毫不改初。（『毫不改初』『终身伏侍』云云，何必说那么久？你一部小说能规定几个人物的『终身』？除非早早送了终——死亡。）此是后话。

且言贾政扶了贾母灵柩一路南行，因遇着班师的兵将船只过境，河道拥挤，不能速行，在道实在心焦。幸喜遇见了海疆的官员，闻得镇海统制钦召回京，想来探春一定回家，略略解些烦心。只打听不出起程的日期，心里又是烦躁。想到盘费算来不敷，不得已，写书一封，差人到赖尚荣任上借银五百，叫人沿途迎上来，应需用。那人去了几日，贾政的船才行得十数里。那家人回来，迎上船只，将赖尚荣的禀启呈上，书内告了多少苦处，备上白银五十两。贾政看了生气，即命家人：『立刻送还！将原书发回，叫他不必费心。』（贾政何必生气，一笑而已。）那家人无奈，只得回到赖尚荣任所。赖尚荣接到原书银两，心中烦闷，知事办得不周到，又添了一百，央来人带回，帮着说些好话。岂知那人不肯带回，撂下就走了。（又写了一个侧面。当年是仆因主贵。如今是自顾不暇，自救无方。）

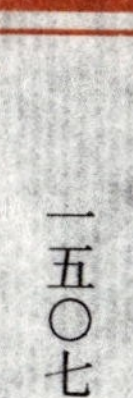

赖尚荣心下不安，立刻修书到家，回明他父亲，叫他设法告假，赎出身来。（人情冷暖，世态炎凉本不足奇。『红细写这些，还是为了警世。结果仍然警不了什么——因为，世界本来就是这样的么！并不可恼，并不可悲。）于是赖家托了贾蔷贾芸等在王夫人面前乞恩放出。贾蔷明知不能，过了一日，假说王夫人不依的话，回复了。赖家一面告假，一面差人到赖尚荣任上，叫他告病辞官。王夫人并不知道。

那贾芸听见贾蔷的假话，心里便没想头。连日在外又输了好些银钱，无所抵偿，便和贾环相商。贾环本是一个钱没有的，虽是赵姨娘积蓄些微，早被他弄光了，那能照应人家？便想起凤姐待他刻薄，要趁贾琏不在家，要摆布巧姐出气，遂把这个当叫贾芸来上，故意的埋怨贾芸道：『你们年纪又大，放着弄银钱的事又不敢办，倒和我没有钱的人商量。』贾芸道：『三叔，你这话说的倒好笑，咱们一块儿玩，一块儿闹，那里有银钱的事？』贾环道：『不是前儿有人说是外藩要买个偏房，你们何不和王大舅商量，把巧姐说给他呢？』（你有你的打法，我有我的打法。鹰有鹰的路，蛇有蛇的路。也是十年河东，十年河西。）贾芸道：『叔叔，我说句招你生气的话，外藩花了钱买人，还想能和咱们走动么？』贾环在贾芸耳边说了些话，贾芸虽然点头，只道贾环是小孩子的话，也不当事。恰好王仁走来说道：『你们两个人商量些什么，瞒着我吗？』贾芸便将贾环的话附耳低言的说了。王仁拍手道：『这倒是一种好事，又有银子！只怕你们不能。若是你们敢办，我是亲舅舅，做得主的。只要环老三在大太太跟前那么一说，我找邢大舅再一说，太太们问起来，你们齐打伙儿说好就是了。』（这些叙述，就事论事，没有小说艺术的魅力，既非栩栩如生，也非别开生面，又不起伏跌宕，这可真不像原作了。）

贾环等商议定了，王仁便去找邢大舅，贾芸便去回邢王二夫人，说得锦上添花。王夫人听了，虽然入耳，只是不信。邢夫人听得邢大舅知道，心里愿意，便打发人找了邢大舅来问他。那邢大舅已经听了王仁的话，又可分肥，便在邢夫人跟前说道：『若说这位郡王，是极有体面的。若应了这门亲事，虽说是不是正配，保管一过了门，姊夫的官早复了，这里的声势又好了。』（『官早复了』，打中要害，说到点子上。有些私心，为了官职，什么事情做不出来？给个孙女算什么？岂能把坏事坏名全扣在环、芸之流身上？）邢夫人本是没主意人，被傻大舅一番假话哄得心动，请了王仁来一问，更说得热闹。于是邢夫人倒叫人出去追着贾芸去说。王仁即刻找了人去到外藩公馆说了。

那外藩不知底细，便要打发人来相看。贾芸又钻了相看的人，说明：『原是瞒着合宅的，只说是王府相亲。等到成了，他祖母作主，亲舅舅的保山，是不怕的。』那相看的人应了。贾芸便送信与邢夫人，并回了王夫人。那李纨宝钗等不知原故，只道是件好事，也都欢喜。（李纨、宝钗不知原故，可能。但依宝钗稳重性格，多考虑考虑，多查访查访，至少可以建议等等与贾政、贾琏通气，则都是题中应有之义。如今竟也匆匆忙忙地『欢喜』起来了。欢喜什么？未必是欢喜巧姐嫁给藩王做偏室。倒像是欢喜『复官』的可能性。）

那日，果然来了几个女人，都是艳妆丽服。邢夫人接了进去，叙了些闲话。那来人本知是个诰命，也不敢怠慢。邢夫人因事未定，也没有和巧姐说明，只说有亲戚来瞧，叫他去见。那巧姐到底是个小孩子，那管这些，便跟了奶妈过来。平儿不放心，也跟着来。只见有两个宫人打扮的，见了巧姐，便浑身上下一看，更又起身来拉着巧姐的手又瞧了一遍，略坐了一坐就走了。倒把巧姐看得羞臊，回到房中纳闷；想来没有这门亲戚，便问平儿。平儿

先看见来头，却也猜着八九：『必是相亲的。但是二爷不在家，大太太作主，到底不知是那府里的。若说是对头亲，不该这样相看。瞧那几个人的来头，不像是本支王府，好像是外头路数。如今且不必和姑娘说明，且打听明白再说。』（看，平儿就能有所查觉。纨、钗却完全糊涂。恐不是智力问题而是『立场』问题了。）平儿心下留神打听。那些丫头婆子都是平儿使过的，平儿一问，所有听见外头的风声都告诉了，平儿便吓的没了主意。虽不和巧姐说，便赶着去告诉了李纨宝钗，求他二人告诉王夫人。（幸有平儿。也算幸亏凤姐在世时与平儿处得好。）

王夫人知道这事不好，便和邢夫人说知。怎奈邢夫人信了兄弟并王仁的话，反疑心王夫人不是好意，便说：『孙女儿也大了。现在琏儿不在家，这件事，我还做得主。况且是他亲舅爷和他亲舅舅打听的，难道倒比别人不真么？我横竖是愿意的。倘有什么不好，我和琏儿也抱怨不着别人。』王夫人听了这些话，心下暗暗生气，勉强说些闲话，便走了出来，告诉了宝钗，自己落泪。宝玉劝道：『太太别烦恼。这件事，我看来是不成的。这又是巧姐儿命里所招，只求太太不管就是了。』王夫人道：『你一开口就是疯话。人家说定了就要接过去。若依平儿的话，你琏二哥可不抱怨我么？别说自己的侄孙女儿，就是亲戚家的，也是要好才好。邢姑娘是我们作媒的，配了你二大舅子，如今和和顺顺的过日子，不好么？那琴姑娘，梅家娶了去，听见说是丰衣足食的，很好。就是史姑娘，是他叔叔的主意，头里原好；如今姑爷痨病死了，你史妹妹立志守寡，也就苦了。若是巧姐儿错给了人家儿，可不是我的心坏？』（历数自己捏和婚姻的成绩。最大的成绩却忘了：逼死黛玉，逼『疯』逼傻了宝玉，也完全白白牺牲了宝钗。）

正说着，平儿过来瞧宝钗，并探听邢夫人的口气。王夫人将邢夫人的话说了一遍。平儿呆了半天，跪下求道：

『巧姐儿终身全仗着太太，若信了人家的话，不但姑娘一辈子受了苦，便是琏二爷回来，怎么说呢？』王夫人道：『你是个明白人，起来听我说：巧姐儿到底是大太太孙女儿，他要作主，我能够拦他么？』宝玉劝道：『无妨碍的，只要明白就是了。』（宝玉这种预知吉凶的口气，颇不自然。也与他的性格不合。如表现他的万事皆空，也就说不上什么有妨碍、无妨碍了。）平儿生怕宝玉疯癫嚷出来，也并不言语，回了王夫人，竟自去了。

贾府前前后后不知买了多少无辜女孩子。如今轮到了巧姐头上。恶也是报应。行恶者遭『恶』之极。恶唤醒了恶，于是乎恶性循环。

这里王夫人想到烦闷，一阵心痛，叫丫头扶着，勉强回到自己房中躺下，不叫宝玉宝钗过来，说：『睡睡就好的。』自己却也烦闷。听见说李婶娘来了，也不及接待。只见贾兰进来请了安，回道：『今早爷爷那里打发人带了一封书子来，外头小子们传进来的。我母亲接了，正要过来，因我老娘来了，叫我先呈给太太瞧，回来我母亲就过来来回太太。还说我老娘要过来呢。』说着，一面把书子呈上。王夫人一面接书，一面问道：『你老娘来作什么？』贾兰道：『我也不知道。我只听见我老娘说，我三姨儿的婆婆家有什么信儿来了。』王夫人听了，想起来还是前次给甄宝玉说了李绮，后来放定下茶，想来此时甄家要娶过门，所以李婶娘来商量这件事情，便点点头儿，一面拆开书信，见上面写着道：

近因沿途俱系海疆凯旋船只，不能迅速前行。闻探姐随翁婿来都，不知曾有信否？前接到琏侄手禀，知大老爷身体欠安，亦不知已有确信否？宝玉兰哥场期已近，务须实心用功，不可怠惰。（在这种死去活来，不可终日的气氛下念念不忘功名，确是禄蠹声口。）老太太灵柩抵家，尚需日时。我身体平善，不必挂念。此谕宝玉等知道。月日手书。蓉儿另禀。

王夫人看了，仍旧递给贾兰，说：『你拿去给你二叔叔瞧瞧，还交给你母亲罢。』正说着，李纨同李婶娘过来，请安问好毕，王夫人让了坐。李婶娘便将甄家要娶李绮的话说了一遍。大家商议了一会儿。李纨因问王夫人道：『老爷的书子，太太看过了么？』王夫人道：『看过了。』贾兰便拿着给他母亲瞧。李纨看了道：『三姑娘出了门好几年，总没有来，如今要回京了，太太也放了好些心。』王夫人道：『我本是心痛，看见探丫头要回来了，心里略好些，只是不知几时才到？』李婶娘便问了贾政在路好。李纨因向贾兰道：『哥儿瞧见了？场期近了，你爷爷惦记的什么是的。你快拿了去给二叔叔瞧去罢。』李婶娘道：『他们爷儿两个又没进过学，怎么能下场呢？』王夫人道：『他爷爷做粮道的起身时，给他们爷儿两个援了例监了。』李婶娘点头。贾兰一面拿着书子出来，来找宝玉。（这些地方，续作倒还精细，注意『泥缝』。）

贾母在时，王夫人得宠，但仍然迎合邢夫人的心意，搞了一回大抄检。如今，王夫人一点咒也没的念了。王夫人的本事一个是严惩漂亮丫鬟，一个是重点津贴袭人，一个是充当邢夫人的应声虫压凤姐，最后一个是不待见赵姨娘母子。除此之外，她一无所长，一无所能。

却说宝玉送了王夫人去后，正拿着《秋水》一篇在那里细玩。宝钗从里间走出，见他看的得意忘言，便走过来一看，见是这个，心里着实烦闷，细想：『他只顾把这些「出世离群」的话当作一件正经事，终久不妥。』（宝玉确实不妥。宝钗如何妥呢？试看今日之贾府，谁人能妥？）看他这种光景，料劝不过来，便坐在宝玉傍边，怔怔的坐着。

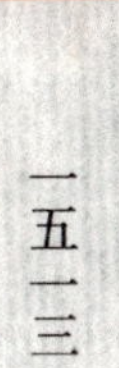

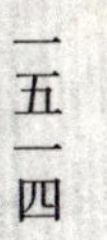

宝玉见他这般，便道：『你这又是为什么？』宝钗道：『我想你我既为夫妇，你便是我终身的倚靠，却不在情欲之私。论起荣华富贵，原不过是「过眼烟云」；但自古圣贤，以人品根柢为重……』宝玉也没听完，把那本书搁在旁边，微微的笑道：『据你说「人品根柢」，又是什么「古圣贤」，你可知古圣贤说过「不失其赤子之心」。那赤子有什么好处？不过是无知、无识、无贪、无忌。（赤子无知无识是对的。无贪无忌，却难讲。当然，小有贪忌，没有成人那么严重。）我们生来已陷溺在贪、嗔、痴、爱中，犹如污泥一般，怎么能跳出这般尘网？如今才晓得「聚散浮生」四字，古人说了，曾不提醒一个。既要讲到人品根柢，谁是到那太初一步地位的？』宝钗道：『你既说「赤子之心」，古圣贤原以忠孝为赤子之心，并不是遁世离群，无关无系为赤子之心。尧、舜、禹、汤、周、孔，时刻以救民济世为心，所谓赤子之心，原不过是「不忍」二字。若你方才所说的忍于抛弃天伦，还成什么道理？』（赤子之心自身亦是包含有内在的矛盾的。）宝玉点头笑道：『尧舜不强巢许，武周不强夷齐。』宝钗不等他说完，便道：『你这个话，益发不是了。古来若都是巢、许、夷、齐，为什么如今人又把尧、舜、周、孔称为圣贤呢？况且你自比夷齐，更不成话。伯夷叔齐原是生在殷商末世，有许多难处之事，所以才有托而逃。（再次表态，声明作者是良民。）当此圣世，咱们世受国恩，祖父锦衣玉食；况你自有生以来，自去世的老太太，以及老爷太太，视如珍宝。你方才所说，自己想一想，是与不是？』宝玉听了，也不答言，只有仰头微笑。（钗、玉各执一词，谁能说服谁呢？在这样的讨论中，学问显得苍白无力。）

宝钗因又劝道：『你既理屈词穷，我劝你从此把心收一收，好好的用用功，但能博得一第，便是从此而止，

也不天恩祖德了。』宝玉点了点头，叹了口气，说道：『一第呢，其实也不是什么难事，倒是你这个「从此而止，不枉天恩祖德」，却还不离其宗。』（二人务一回虚。宝玉想的却是一种两全的可操作性。）宝钗未及答言，袭人过来说道：『刚才二奶奶说的古圣先贤，我们也不懂。我只想着我们这些人，从小儿辛辛苦苦跟着二爷，不知陪了多少小心，论起理来，原该当的，但只二爷也该体谅体谅。况且二奶奶替二爷在老爷太太跟前行了多少孝道，就是二爷不以夫妻为事，也不可太辜负了人心。至于神仙那一层，更是谎话，谁见过有走到凡间来的神仙呢？那里来的这么个和尚，说了些混话，二爷就信了真。二爷是读书的人，难道他的话比老爷太太还重么？』宝玉听了，低头不语。（袭人以私情感宝玉，尚略有效果——参看二十一回，由她来讲道理，此时此事，益发没用，平添厌烦。有这样一妻一妾成天教育自己——不如出家的好。）

袭人还要说时，只听外面脚步走响，隔着窗户问道：『二叔在屋里呢么？』宝玉听了是贾兰的声音，便站起来笑道：『你进来罢。』宝钗也站起来。贾兰进来，笑容可掬的给宝玉宝钗请了安，问了袭人的好，袭人也问了好，便把书子呈给宝玉瞧。宝玉接在手中看了，便道：『你三姑姑回来了？』贾兰道：『爷爷既如此写，自然是回来的了。』宝玉点头不语，默默如有所思。贾兰便问：『叔叔看见爷爷后头写的，叫咱们好生念书了。叔叔这一程子只怕总没作文章罢？』宝玉笑道：『我也要作几篇熟一熟手，好去诓这个功名。』（诓个功名，逢场作戏而已。也算得『玩科举』吧。）贾兰道：『叔叔既这样，就拟几个题目，我跟着叔叔作作，也好进去混场。别到那时交了白卷子，惹人笑话。不但笑话我，人家连叔叔都要笑话了。』宝玉道：『你也不至如此。』说着，宝钗命贾兰坐下。

宝玉仍坐在原处，贾兰侧身坐了。两个谈了一回文，不觉喜动颜色。宝钗见他爷儿两个谈得高兴，便仍进屋里去了，心中细想：『宝玉此时光景，或者醒悟过来了。只是刚才说话，他把那「从此而止」四字单单的许可，这又不知是什么意思了。』（又作铺垫了。）宝钗尚自犹豫。惟有袭人看他爱讲文章，提到下场，更又欣然，心里想道：『阿弥陀佛！好容易讲《四书》是的才讲过来了！』这里宝玉和贾兰讲文，莺儿沏过茶来。贾兰站起来接了，又说了一会子下场的规矩，并请甄宝玉在一处的话，宝玉也甚似愿意。（『甚似愿意』，『似』字用得好。）

一时，贾兰回去，便将书子留给宝玉了。那宝玉拿着书子，笑嘻嘻走进来，递给麝月收了，便出来将那本《庄子》收了，把几部向来最得意的如《参同契》《元命苞》《五灯会元》之类，叫出麝月、秋纹、莺儿等都搬了搁在一边。宝钗见他这番举动，甚为罕异，因欲试探他，便笑问道：『不看他倒是正经，但又何必搬开呢？』宝玉道：『如今才明白过来了，这些书都算不得什么。我还要一火焚之，方为干净。』宝钗听了，更欣喜异常。只听宝玉口中微吟道：

内典语中无佛性，金丹法外有仙舟。（宝玉对于内典、金丹，并无多少牵连。是生活这部残忍的教科书，把他引上了出家之路。）

宝钗也没很听真，只听得『无佛性』『有仙舟』几个字，心中转又狐疑，且看他作何光景。宝玉便命麝月秋纹等收拾一间静室，把那些语录名稿及应制诗之类，都找出来，搁在静室中，自己却当真静静的用起功来。宝钗这才放了心。

那袭人此时真是闻所未闻，见所未见，便悄悄的笑着向宝钗道：『到底奶奶说话透彻，只一路讲究，就把二

爷劝明白了。就只可惜迟了一点儿，临场太近了。』宝钗点头微笑道：『功名自有定数，中与不中，倒也不在用功的迟早。但愿他从此一心巴结正路，把从前那些邪魔永不沾染就是好了。』（又是欲擒故纵。以为一路讲究就可以把谁劝明白，这本身就是痴、妄。）说到这里，见房里无人，便悄说道：『这一番悔悟过来，固然很好；但只一件，怕又犯了前头的旧病，和女孩儿们打起交道来，也是不好。』袭人道：『奶奶说的也是。二爷自从信了和尚，才把这些姐妹冷淡了；如今不信和尚，真怕又要犯了前头的旧病呢。（也是两难。肯定生活就要肯定对异性的情爱，否定这些情爱，却又干脆否定了生活。宝钗袭人妄图把宝玉的生命、灵性、多感、多情……纳入自己安排的一条小轨道，这不也是要让骆驼钻过针眼吗？）我想，奶奶和我，二爷原不大理会。紫鹃去了，如今只他们四个。这里头就是五儿有些个狐媚子，听见说，他妈求了大奶奶和奶奶，说要讨出去给人家儿呢，但是这两天到底在这里呢。麝月秋纹虽没别的，只是二爷那几年也都有些顽顽皮皮的。如今算来，只有莺儿二爷倒不大理会，况且莺儿也稳重。我想倒茶弄水，只叫莺儿带着小丫头们伏侍就够了，不知奶奶心里怎么样？』宝钗道：『我也虑的是这些，你说的倒也罢了。』从此便派莺儿带着小丫头伏侍。那宝玉却也不出房门，天天只差人去给王夫人请安。（这样写或许不是雪芹原意，但贾宝玉刁钻古怪，而又聪明伶俐，本也不妨玩点花活。）王夫人听见他这番光景，那一种欣慰之情，更不待言了。（宝玉出家这样一个结局，也是步步为营、煞费苦心地写出来的。事已至此，一切皆成定局。）

到了八月初三这一日，正是贾母的冥寿。宝玉早晨过来磕了头，便回去，仍到静室中去了。饭后，宝钗袭人等都和姊妹们跟着邢王二夫人在前面屋里说闲话。见宝玉自在静室，冥心危坐。忽见莺儿端了一盘瓜果进来，说：

『太太叫人送来给二爷吃的，这是老太太的克什。』宝玉站起来答应了，复又坐下，便道：『搁在那里罢。』莺儿一面放下瓜果，一面悄悄向宝玉道：『太太那里夸二爷呢。』宝玉微笑。莺儿又道：『太太说了，二爷这一用功，明儿进场中了出来，明年再中了进士，作了官，老爷太太可就不枉了盼二爷了。』宝玉也只点头微笑。（宝玉过去多是呆笑痴笑，现在有了微笑了，很危险。自己下定了决心，就会镇定得多。哪怕没有做出什么像样的选择。）

莺儿忽然想起那年给宝玉打络子的时候宝玉说的话来，便道：『真要二爷中了，那可是我们姑奶奶的造化了。二爷还记得那一年在园子里，不是二爷叫我打梅花络子时说的，我们姑奶奶后来带着我不知到那一个有造化的人家儿去呢，如今二爷可是有造化的罢咧。』（一个接一个的回首往事，呼应前文，预示着即将永别。）宝玉听到这里，又觉尘心一动，连忙敛神定息，微微的笑道：『据你说来，我是有造化的，你们姑娘也是有造化的，你呢？』莺儿把脸飞红了，勉强道：『我们不过当丫头一辈子罢咧，有什么造化呢！』宝玉笑道：『果然能够一辈子是丫头，你这个造化比我们还大呢！』（此时谈造化，真是对造化与盼造化者的莫大讽刺。）莺儿听见这话，似乎又是疯话了，恐怕自己招出宝玉的病根来，打算着要走。只见宝玉笑着说道：『傻丫头，我告诉你罢。』未知宝玉又说出什么话来，且听下回分解。

天若有情天亦老。如今是怎样的景象？凤姐一世之雄，而今安在哉？连独生女也保护不了。宝玉已经完成了自己的心路历程。底下的事，随便玩玩，姑妄行之而已。宝钗袭人的劝谏，恐怕只能促使宝玉下定出走的决心。回顾一下并不重要的与莺儿的闲话，既要告别，能不依依？便如贾母临死之前『睁着眼满屋里瞧了一瞧』一样。各种情节联系起来，形成强烈的反差，包括赖尚荣的小小插曲。

其实并不是宝玉破坏了、违背了宝钗、袭人宣讲的封建主流意识形态，而是从朝廷到皇亲国戚、达官贵人、文人学士，包括整个贾家的全体，没有谁真正按孔孟之道做，贾政空谈做状，也绝对与修齐治平无干。

第一百十九回　中乡魁宝玉却尘缘　沐皇恩贾家延世泽

话说莺儿见宝玉说话，摸不着头脑，正自要走，只听宝玉又说道：『傻丫头，我告诉你罢。你姑娘既是有造化的，你跟着他，自然也是有造化的了。你袭人姐姐是靠不住的。只要往后你尽心伏侍他就是了，日后或有好处，也不枉你跟着他熬了一场。』（如是泄露天机，则成败笔。如来自对袭人的了解，则是春秋笔法。文笔得失，谁能评说？）莺儿听了前头像话，后头说的又有些不像了，便道：『我知道了。姑娘还等我呢。二爷要吃果子时，打发小丫头叫我就是了。』宝玉点头，莺儿才去了。一时，宝钗袭人回来，各自房中去了，不提。

且说过了几天，便是场期。别人只知盼望他爷儿两个作了好文章，便可以高中的了，只有宝钗见宝玉的工课虽好，只是那有意无意之间，却别有一种冷静的光景。（庸人俗眼，但知高中是喜。又微笑又冷静，都是过去无有的神态，令人忧虑惊心。）知他要进场了，头一件，叔侄两个都是初次赴考，恐人马拥挤，有什么失闪；第二件，宝玉自和尚去后，总不出门，虽然见他用功喜欢，只是改的太速太好了，反倒有些信不及，只怕又有什么变故。（对于非正常情况，是应该抱怀疑态度。）所以进场的头一天，一面派了袭人带了小丫头们同着素云等给他爷儿两个收拾妥当，自己又都过了目，好好的搁起，预备着；一面过来同李纨回了王夫人，拣家里的老成管事的多派了几个，只说怕人马拥挤碰了。

次日，宝玉贾兰换了半新不旧的衣服，（半新不旧有理。太新了招摇，太旧了寒伧。）欣然过来见了王夫人。王夫人嘱咐道：『你们爷儿两个都是初次下场，但是你们活了这么大，并不曾离开我一天。就是不在我眼前，也是丫头媳妇们围着，何曾自己孤身睡过一夜。今日各自进去，孤孤凄凄，举目无亲，须要自己保重。（孤孤凄凄，举目无亲，王夫人说中了。）早些作完了文章出来，找着家人，早些回来，也叫你母亲、媳妇们放心。』（每个人都能无意中预言他人的——或自己的命运，使命运更加闪烁不定，奥妙无穷。）王夫人说着，不免伤心起来。贾兰听一句答应一句。只见宝玉一声不哼，待王夫人说完了，走过来给王夫人跪下，满眼流泪，磕了三个头，说道：『母亲生我一世，我也无可答报。只有这一入场，用心作了文章，好好的中个举人出来，那时太太喜欢喜欢，便是儿子一辈子的事也完了，一辈子的不好，也都遮过去了。』（话里有话。）王夫人听了，更觉伤心起来，便道：『你有这个心，自然是好的，可惜你老太太不能见你的面了。』（你也不能再见面了。）一面说，一面拉他起来。那宝玉只管跪着，不肯起来，便说道：『老太太见与不见，总是知道的，喜欢的；既能知道了，喜欢了，便是不见也和见了的一样。只不过隔了形质，并非隔了神气啊。』（又是话里有话。）

李纨见王夫人和他如此，一则怕勾起宝玉的病来，二则也觉得光景不大吉祥，连忙过来说道：『太太，这是大喜的事，为什么这样伤心？况且宝兄弟近来很知好歹，很孝顺，又肯用功，只要带了侄儿进去，好好的作文章，早早的回来，写出来请咱们的世交老先生们看了，等着爷儿两个都报了喜，就完了。』一面叫人搀起宝玉来。宝玉却转过身来给李纨作了个揖，说：『嫂子放心，我们爷儿两个都是必中的。日后兰哥还有大出息，大嫂子还要

带凤冠穿霞帔呢。』李纨笑道：『但愿应了叔叔的话，也不枉……』说到这里，恐怕又惹起王夫人的伤心来，连忙咽住了。宝玉笑道：『只要有了个好儿子，能够接续祖基，就是大哥哥不能见，也算他的后事完了。』（一副留遗嘱的架势。）李纨见天气不早了，也不肯尽着和他说话，只好点点头儿。

这一段彼此对话相当富于戏剧效果。好像有许多眼泪，含在眶里，不流出来。宝玉是话里有话，如同诀别。王夫人是又高兴又糊涂又直觉不甚好。李纨朦朦胧胧看到了面临的黑洞，不敢正视。宝钗句句听出了弦外之音却又一筹莫展。而这，又是遵照上下左右的教导去拼搏夺取功名。这些写得相当精彩，不低于前八十回水平。

此时宝钗听得，早已呆了。这些话，不但宝玉，便是王夫人李纨所说，句句都是不祥之兆，却又不敢认真，只得忍泪无言。（祥乎不祥乎？有兆乎无兆乎？夫复何如！）那宝玉走到跟前，深深的作了一个揖。众人见他行事古怪，也摸不着是怎么样，又不敢笑他。只见宝钗的眼泪直流下来，众人更是纳罕。又听宝玉说道：『姐姐，我要走了。你好生跟着太太，听我的喜信儿罢。』宝钗道：『是时候了，你不必说这些唠叨话了。』宝玉道：『你倒催的我紧，我自己也知道该走了。』（『你倒催的』云云，不能说不是微词。该走了！该走了！该走了！除了小说中人，谁又能走得开呢？）回头见众人都在这里，只没惜春紫鹃，便说道：『四妹妹和紫鹃姐姐跟前，替我说一句罢，横竖是再见就完了。』

众人见他的话，又像有理，又像疯话。大家只说他从没出过门，都是太太的一套话招出来的，不如早早催他去了，就完了事了，便说道：『外面有人等你呢，你再闹就误了时辰了。』宝玉仰面大笑道：『走了，走了！不用胡闹了，完了事了！』（仰天大笑出门去，吾辈岂是功名人！）众人也都笑道：『快走罢。』独有王夫人和宝钗娘儿两个倒

像生离死别的一般，那眼泪也不知从那里来的，直流下来，几乎失声哭出。（本来不足为奇，当年宝玉上一回学不也是千叮万嘱吗？唯此次客观上带有永诀性质。）但见宝玉嘻天哈地，大有疯傻之状，遂从此出门走了。（这一段宝玉赶考前的对话，可以一字不易地作为脚本来演话剧。）正是：

走求名利无双地，打出樊笼第一关。

不言宝玉贾兰出门赴考，且说贾环见他们考去，自己又气又恨，便自大为王，说：『我可要给母亲报仇了。家里一个男人没有，上头大太太依了我，还怕谁！』想定了主意，跑到邢夫人那边请了安，说了些奉承的话。那邢夫人自然喜欢，便说道：『你这才是明理的孩子呢！像那巧姐儿的事，原该我作主的，你琏二哥糊涂，放着亲奶奶，倒托别人去！』（又提供一个看事的不同角度。如果坏人——例如贾环执笔写了一部《红楼梦》，一定另辟蹊径，出人意外，别有风光。）贾环道：『人家那头儿也说了，只认得这一门子，现在定了，还要备一分大礼来送太太呢。如今太太有了这样的藩王孙女婿儿，还怕大老爷没大官做么？不是我说自己的太太，他们有了元妃姐姐，便欺压的人难受。将来巧姐儿别也是这样没良心，等我去问他。』邢夫人道：『你也该告诉他，他才知道你的好处。只怕他父亲在家也找不出这么门子好亲事来！但只平儿那个糊涂东西，他倒说这件事不好，说是你太太也不愿意。想来恐怕我们得了意。若迟了，你二哥回来，又听人家的话，就办不成了。』贾环道：『那边都定了，只等太太出了八字。王府的规矩，三天就要来娶的。但是一件，只怕太太不愿意，那边说是不该娶犯官的孙女，只好悄悄的抬了去，等大老爷免了罪，做了官，再大家热闹起来。』邢夫人道：『这有什么不愿意？也是礼上应该的。』贾环道：『既这么着，这帖子太太出了就是了。』邢夫人道：『这孩子又糊涂了！里头都是女人，你叫芸哥儿写了一个就是了。』贾环听说，喜欢的了不得，连忙答应了出来，赶着和贾芸说了，邀着王仁到那外藩公馆立文书、兑银子去了。（坏人窃权，必有灾祸。）

那知刚才所说的话早被跟邢夫人的丫头听见。那丫头是求了平儿才挑上的，便抽空儿赶到平儿那里，一五一十的都告诉了。（也是老模式。）平儿早知此事不好，已和巧姐细细的说明。巧姐哭了一夜，必要等他父亲回来作主，大太太的话不能遵；今儿又听见这话，便大哭起来，要和太太讲去。平儿急忙拦住道：『姑娘且慢着。大太太是你的亲祖母，他说二爷不在家，大太太做得主的，况且还有舅舅做保山。他们都是一气，姑娘一个人，那里说得过呢？我到底是下人，说不上话去。如今只可想法儿，断不可冒失的。』邢夫人那边的丫头道：『你们快快的想主意，不然，可就要抬走了。』说着，各自去了。

平儿回过头来，见巧姐哭作一团，连忙扶着道：『姑娘，哭是不中用的，如今是二爷彀不着，听见他们的话头……』这句话还没说完，只见邢夫人那边打发人来告诉：『姑娘大喜的事来了。叫平儿将姑娘所有应用的东西料理出来。若是赔送呢，原说明了等二爷回来再办。』平儿只得答应了回来。又见王夫人过来，巧姐儿一把抱住，哭得倒在怀里。王夫人也哭道：『妞儿不用着急，我为你吃了大太太好些话，看来是扭不过来的。我们只好应着缓下去，即刻差个家人赶到你父亲那里去告诉。』平儿道：『太太还不知道么？早起三爷在大太太跟前说了，什么外藩规矩，三日就要过去的。如今大太太已叫芸哥儿写了名字年庚去了，还等得二爷么？』王夫人听说是三爷，便气得说不出话来，呆了半天，一叠声叫人找贾环。找了半日，人回：『今早同蔷哥儿王舅爷出去了。』王夫人问：『芸哥呢？』众人回说：『不知道。』巧姐屋内人人瞪眼，一无方法。王夫人也难和邢夫人争论，只有大家抱头大哭。（这些地方写得如同在完成任务，反正早已规定好情节发展，便硬着头皮一路写下去好了。）

有个婆子进来回说：『后门上的人说，那个刘老老又来了。』（天降斯人。）王夫人道：『咱们家遭着这样事，那有工夫接待人，不拘怎么回了他去罢。』平儿道：『太太该叫他进来，他是姐儿的干妈，也得告诉告诉他。』王夫人不言语。那婆子便带了刘老老进来。各人见了问好。刘老老见众人的眼圈儿都是红的，也摸不着头脑，迟了一会子，便问道：『怎么了？太太姑娘们必是想二姑奶奶了。』巧姐儿听见提起他母亲，越发大哭起来。平儿道：『老老别说闲话。你既是姑娘的干妈，也该知道的。』便一五一十的告诉了。把个刘老老也唬怔了。等了半天，忽然笑道：『你这样一个伶俐姑娘，没听见过「鼓儿词」么，这上头的方法多着呢。这有什么难的！』（老百姓的办法多。又是俗能胜雅。）平儿赶忙问道：『老老，你有什么法儿？快说罢。』刘老老道：『这有什么难的呢，一个人也不叫他们知道，扔崩一走就完了事了。』（扔崩一走，好。写了一大堆交待过程的话，只此『扔崩』二字尚有可取。）平儿道：『这可是混说了。我们这样人家的人，走到那里去？』刘老老道：『只怕你们不走，你们要走，就到我屯里去。我就把姑娘藏起来，即刻叫我女婿弄了人，叫姑娘亲笔写个字儿，赶到姑老爷那里，少不得他就来了。可不好么？』平儿道：『大太太知道呢？』刘老老道：『我来，他们知道么？』平儿道：『大太太住在后头，他待人刻薄，有什么信，没有送给他的。你若前门走来，就知道了；如今是后门来的，不妨事。』刘老老道：『咱们说定了几时，我叫女婿打了车来接了去。』

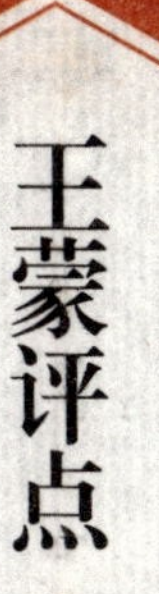

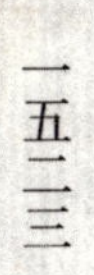
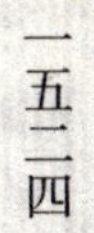

平儿道：『这还等得几时呢，你坐着罢。』急忙进去，将刘老老的话，避了旁人告诉了。

王夫人想了半天不妥当。平儿道：『只有这样！为的是太太，才敢说明。太太就装不知道，回来倒问大太太。我们那里就有人去，想二爷回来也快。』王夫人不言语，叹了一口气。巧姐儿听见，便和王夫人道：『求太太救我，横竖父亲回来，只有感激的。』平儿道：『不用说了，太太回去罢。回来只要太太派人看屋子。』王夫人道：『掩密些，你们两个人的衣服铺盖是要的。』（王夫人竟混到在自己家搞『地下斗争』这一步。）平儿道：『要快走了才中用呢，若是他们定了回来，就有了饥荒了。』提醒了王夫人，便道：『是了，你们快办去罢，有我呢。』于是王夫人回去，倒过去找邢夫人说闲话儿，把邢夫人先拌住了。

平儿这里便遣人料理去了，嘱咐道：『倒别避人，有人进来看见，就说是大太太吩咐的，要一辆车子送刘老老去。』这里又买嘱了看后门的人雇了车来。平儿便将巧姐装做青儿模样，急急的去了。后来平儿只当送人，眼错不见，也跨上车去了。（由平儿完成这件使命还是合适的。第一，她确实忠于凤姐，道义上应对巧姐的命运负责。第二，她毕竟担任『秘书长助理』多年，能决断也敢于办一些实事。）原来近日贾府后门虽开，只有一两个人看着，余外虽有几个家下人，因房大人少，空落落的，谁能照应？且邢夫人又是个不怜下人的。众人明知此事不好，又却感念平儿的好处，所以通同一气，放走了巧姐。邢夫人还自和王夫人说话，那里理会？只有王夫人甚不放心，说了一回话，悄悄的走到宝钗那里坐下，心里还是惦记着。宝钗见王夫人神色恍惚，便问：『太太的心里有什么事？』王夫人将这事背地里和宝钗说了。宝钗道：『险得很！如今得快快儿的叫芸哥儿止住那里才妥当。』王夫人道：『我找不着环儿呢。』

宝钗道：『太太总要装作不知，等我想个人去叫大太太知道才好。』王夫人点头，一任宝钗想人，暂且不言。（编圆了就是了，无甚可不可，真不真的。）

（后四十回可能由于续作者的思想观念，也由于客观上要结束全书，善恶报应的反应过程加多加快——诸如金桂下毒，赵姨娘死，贾雨村获罪及凤姐托孤、巧姐避难……但过快了就成了儿戏，成了气球，气球吹得鼓胀，『噗』的一声没弄明白过来已经泄了气。）

且说外藩原是要买几个使唤的女人，据媒人一面之辞，所以派人相看。相看的人回去，禀明了藩王，藩王问起人家，众人不敢隐瞒，只得实说。那外藩听了，知是世代勋戚，便说：『了不得！这是有干例禁的，几乎误了大事！况我朝觐已过，便要择日起程。倘有人来再说，快快打发出去。』这日恰好贾芸王仁等递送年庚，只见府门里头的人便说：『奉王爷的命：再敢拿贾府的人来冒充民女者，要拿住究治的。如今太平时候，谁敢这样大胆？』这一嚷，唬得王仁等抱头鼠窜的出来，埋怨那说事的人，大家扫兴而散。（这样写最好。没有对藩王不敬的意思。不会给『红』惹出政治上的麻烦。但这样写，刘老老的救援反没有了实际的意义。）

贾环在家候信，又闻王夫人传唤，急得烦躁起来，见贾芸一人回来，赶着问道：『定了么？』贾芸慌忙跺足道：『了不得，了不得！不知谁露了风了。』还把吃亏的话说了一遍。贾环气得发怔，说：『我早起在大太太跟前说的这样好，如今怎么样处呢？这都是你们众人坑了我了！』（尔虞我诈，你不仁，我不义。）正没主意，听见里头乱嚷，叫着贾环等的名字说：『大太太二太太叫呢！』两个人只得蹭进去。只见王夫人怒容满面，说：『你们干的好事！如今逼死了巧姐和平儿了，快快的给我找还尸首来完事！』两个人跪下。贾环不敢言语。贾芸低头说道：『孙子

王蒙评点

红楼梦

不敢干什么。为的是邢舅太爷和王舅爷说给巧妹妹作媒，我们才回太太们的。大太太愿意，才叫孙子写帖儿去的。人家还不要呢。怎么我们逼死了妹妹呢？』王夫人道：『环儿在大太太那里说的，三日内便要抬了走。说亲作媒，有这样的么？我也不问，你们快把巧姐儿还了我们，等老爷回来再说。』邢夫人如今也是一句话儿说不出了，只有落泪。王夫人便骂贾环说：『赵姨娘这样混账的东西，留的种子也是这混账的！』（种子是贾政的。王夫人的骂人实很下作。）说着，叫丫头扶了，回到自己房中。

那贾环、贾芸、邢夫人三个人互相埋怨，说道：『如今且不用埋怨。想来死是不死的，必是平儿带了他到那什么亲戚家躲着去了。』邢夫人叫了前后的门上人来骂着，问：『巧姐儿和平儿，知道那里去了？』岂知下人一口同音，说是：『大太太不必问我们，问当家的爷们就知道了。在大太太也不用闹，等我们太太问起来，我们有话说。要打大家打，要发大家都发。自从琏二爷出了门，外头闹得还了得！我们的月钱月米是不给了，赌钱喝酒，闹小旦，还接了外头的媳妇儿到宅里来，这还是爷吗？』（行得太歪了，下边也能说出话来。再专制也堵不住嘴。）说得贾芸等顿口无言。王夫人那边又打发人来催说：『叫爷们快找来！』那贾环等急得恨无地缝可钻，又不敢盘问巧姐那边的人。明知众人深恨，是必藏起来了，但是这句话怎敢在王夫人面前说，只得各处亲戚家打听，毫无踪迹。（报应得极快。按理不可能打听不出来。）里头一个邢夫人，外头环儿等，这几天闹的昼夜不宁。

看看到了出场日期，王夫人只盼着宝玉贾兰回来。等到晌午，不见回来，王夫人、李纨、宝钗着忙，打发人去到下处打听。去了一起，又无消息，连去的人也不来了。回来又打发一起人去，又不见回来。三个人心里如热

油熬煎。等到傍晚，有人进来，见是贾兰。众人喜欢，问道：『宝二叔呢？』贾兰也不及请安，便哭道：『二叔丢了。』王夫人听了这话，便怔了半天，也不言语，便直挺挺的躺到床上。亏得彩云等在后面扶着，下死的叫醒转来，哭着。见宝钗也是白瞪两眼，袭人等已哭得泪人一般，只有哭着骂贾兰道：『糊涂东西！你同二叔在一处，怎么他就丢了？』（此话无理。按情理，找不到二叔，年纪小的贾兰应认为自己丢了，或二人失散了，应认为二叔已回家才对。）贾兰道：『我和二叔在下处是一处吃，一处睡。进了场，相离也不远，刻刻在一处的。今儿一早，二叔的卷子早完了，还等我呢。我们两个人一起去交了卷子，一同出来，在龙门口一挤，回头就不见了。我们家接场的人都问我，李贵还说：「看见的，相离不过数步，怎么一挤就不见了？」现叫李贵等分头的找去。我也带了人，各处号里都找遍了，没有，我所以这时候才回来。』（略显潦草，终究合情合理，宝玉不走，还能如何？）

对宝玉中举后出走的设计，『红学』家颇多诟病，认为是俗，是脱裤子放屁……得失难较。首先，这是一个极大的反差与讽刺。从贾政到袭人，一直对宝玉谆谆教导，要取功名。偏偏他完成了功名任务后走了。其次，他如何能离开贾府，离开那种众星捧月式的包围呢？入考场最天经地义。入考场的结果不是得中荣归，而是中而后走，又是一种翻案的惊人之笔。再者，如果黛玉前脚死宝玉后脚走，反倒没有戏了。现写宝玉为黛玉之死而极端痛苦，而得了精神病，之后，是整个一个过程，与宝钗亦可相处居室了，袭人也俨然屋里人地教育上来了，他经历了家族的衰微，他经历了自己的小家的初步稳定，他像个傻子样地接受上下左右的教导督促，他像个傀儡似的被牵着线活动，他再次游历了太虚幻境，他经历了波涛起伏终于平静的精神旅程，最后，他又玩了一下功名，逢场做戏地考了个举人，该体验的他全部体验完了，不去做和尚，也就只有去自杀了。但是不，他还有一条出路，把这一切写下来。以出家和自杀的决心写下一部小说来！

王夫人是哭的一句话也说不出来，宝钗心里已知八九，袭人痛哭不已。（宝钗一心给宝玉办学习班，将宝玉管好改好，结果当然是适得其反。）贾蔷等不等吩咐，也是分头而去。可怜荣府的人，个个死多活少，空备了接场的酒饭。（空备了接场的酒饭，空欢喜一场，一厢情愿地准备了一场……人生会有多少种类似的悲喜剧，人是怎样地冒傻气呀！）贾兰也忘却了辛苦，还要自己找去。倒是王夫人拦住道：『我的儿，你叔叔丢了，还禁得再丢了你么？好孩子，你歇歇去罢。』贾兰那里肯走，尤氏等苦劝不止。众人中只有惜春心里却明白了，只不好说出来，便问宝钗道：『二哥哥带了玉去了没有？』宝钗道：『这是随身的东西，怎么不带？』惜春听了，便不言语。袭人想起那日抢玉的事来，也是料着那和尚作怪，柔肠几断，珠泪交流，呜呜咽咽哭个不住，追想当年宝玉相待的情分：『有时怄他，他便恼了，也有一种令人回心的好处，那温存体贴，是不用说了。若怄急了他，便赌誓说做和尚，那知道今日却应了这句话。』（毕竟袭人与宝玉是老交情了。）看看那天已觉是四更天气，并没有个信儿。李纨又怕王夫人苦坏了，极力的劝着回房。众人都跟着伺候，只有邢夫人回去。贾环躲着不敢出来。王夫人叫贾兰去了，一夜无眠。次日天明，虽有家人回来，都说：『没有一处不寻到，实在没有影儿。』于是薛姨妈、薛蝌、史湘云、宝琴、李婶娘等接二连三的过来请安问信。

如此一连数日，王夫人哭得饮食不进，命在垂危。忽有家人回道：『海疆来了一人，口称统制大人那里来的，说我们家的三姑奶奶，明日到京了。』（招之即来，挥之即去，没写出多少道理来。当然，有丢了的有回来的，有些参差，可以互比。）王夫人听说探春回京，虽不能解宝玉之愁，那个心略放了些。到了明日，果然探春回来。众人远远接着，见探春出挑得比先前更好了，服采鲜明。见了王夫人形容枯槁，众人眼肿腮红，便也大哭起来，哭了一会，然后行礼。看见惜春道姑打扮，心里很不舒服。又听见宝玉心迷走失，家中多少不顺的事，大家又哭起来。还亏得探春能言，见解亦高，把话来慢慢儿的劝解了好些时，王夫人等略觉好些。再明儿，三姑爷也来了，知有这样的事，探春住下劝解。跟探春的丫头老婆也与众姐妹们相聚，各诉别后的事。从此上上下下的人，竟是无昼无夜，专等宝玉的信。（探春这样回来，只是多一个悲剧的目击者而已，丝毫减缓不了悲剧性。）

那一夜五更多天，外头几个家人进来，到二门口报喜。几个小丫头乱跑进来，也不及告诉大丫头了，进了屋子，便说：『太太奶奶们大喜！』王夫人打谅宝玉找着了，便喜欢的站起身来说：『在那里找着的？快叫他进来。』那人道：『中了第七名举人。』王夫人道：『宝玉呢？』家人不言语。王夫人仍旧坐下。探春便问：『第七名中的是谁？』家人回说：『是宝二爷。』（不是没完没了地督促教育奔功名吗？功名倒是有了。人呢？）正说着，外头又嚷道：『兰哥儿中了！』那家人赶忙出去，接了报单回禀，见贾兰中了一百三十名。李纨心下喜欢，因王夫人不见了宝玉，不敢喜形于色。王夫人见贾兰中了，心下也是喜欢，只想：『若是宝玉一回来，咱们这些人，不知怎样乐呢！』（若是贾母不死，若是没有抄家，若是黛玉活着……有多少对于『若是』的盼望，正是王夫人亲手扼杀的呀！天下没有，『红』中有。『红』另有天下也。）独有宝钗心下悲苦，又不好掉泪。众人道喜，说是：『宝玉既有中的命，自然再不会丢的，况天下那有迷失了的举人。』王夫人等想来不错，略有笑容，众人便趁势劝王夫人等多进了些饮食。只见三门外头焙茗乱嚷说：『我们二爷中了举人，是丢不了的了！』众人问道：『怎见得呢？』焙茗道：『「一举成名天下闻」，如

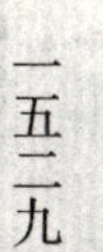

今二爷走到那里，那里就知道的，谁敢不送来！』里头的众人都说：『这小子虽是没规矩，这句话是不错的。』惜春道：『这样大人了，那里有走失的？只怕他勘破世情，入了空门，这就难找着他了。』这句话又招得王夫人等又大哭起来。李纨道：『古来成佛作祖成神仙的，果然把爵位富贵都抛了，也多得很。』王夫人哭道：『他若抛了父母，这就是不孝，怎能成佛作祖？』（王夫人至此还要对宝玉进行上纲上线的批判呢。）探春道：『大凡一个人，不可有奇处。二哥哥生来带块玉来，都道是好事，这么说起来，都是有了这块玉的不好。若是再有几天不见，我不是叫太太生气，就有些原故了，只好譬如没有生这位哥哥罢了。果然有来头成了正果，也是太太几辈子的修积。』宝钗听了不言语。袭人那里忍得住，心里一疼，头上一晕，便栽倒了。王夫人看了可怜，命人扶他回去。贾环见哥哥侄儿中了，又为巧姐的事，大不好意思，只抱怨蔷芸两个。知道探春回来，此事不肯干休，又不敢躲开，这几天竟是如在荆棘之中。

明日，贾兰只得先去谢恩，知道甄宝玉也中了，大家序了同年。提起贾宝玉心迷走失，甄宝玉叹息劝慰。知贡举的将考中的卷子奏闻，皇上一一的披阅，看取中的文章，俱是平正通达的。见第七名贾宝玉是金陵籍贯，第一百三十名又是金陵贾兰，皇上传旨询问：『两个姓贾的是金陵人氏，是否贾妃一族？』（又受皇恩关注。）大臣领命出来，传贾宝玉贾兰问话。贾兰将宝玉场后迷失的话，并将三代陈明，大臣代为转奏。皇上最是圣明仁德，想起贾氏功勋，命大臣查复，大臣便细细的奏明。皇上甚是悯恤，命有司将贾赦犯罪情由，查案呈奏。（如是悯恤，哪里悯恤得过来。）皇上又看到『海疆靖寇班师善后事宜』一本，奏的是『海晏河清，万民乐业』的事。皇上圣心大

悦，命九卿叙功议赏，并大赦天下。贾兰等朝臣散后，拜了座师，并听见朝内有大赦的信，便回了王夫人等。合家略有喜色，只盼宝玉回来。薛姨妈更加喜欢，便要打算赎罪。

一日，人报甄老爷同三姑爷来道喜，王夫人便命贾兰出去接待。不多一时，贾兰进来，笑嘻嘻的回王夫人道：『太太们大喜了！甄老伯在朝内听见有旨意，说是大老爷的罪名免了；珍大爷不但免了罪，仍袭了宁国三等世职。荣国世职，仍是老爷袭了，俟丁忧服满，仍升工部郎中。所抄家产，全行赏还。二叔的文章，皇上看了甚喜。问知元妃兄弟，北静王还奏说人品亦好，皇上传旨召见。众大臣奏称：「据伊侄贾兰回称出场时迷失，现在各处寻访。」皇上降旨，着五营各衙门用心寻访。（有些事圣恩如天。有些事圣恩屁事不管。）这旨意一下，请太太们放心，皇上这样圣恩，再没有找不着了。』王夫人等这才大家称贺，喜欢起来。（或曰，这样续太俗了。诚然。但亦有可取处。第一，小说不可担为犯官立言的名声，最后犯官不是犯官，仍是沐皇恩的皇上的忠奴，政治上才好站住脚步。第二，越这样越给人以失落感。没了宝玉黛玉凤姐贾母，便再升了爵晋了级又有什么用？）

只有贾环等心下着急，四处找寻巧姐。那知巧姐随了刘老老，带着平儿出了城，到了庄上，刘老老也不敢轻亵巧姐，便打扫上房，让给巧姐平儿住下。每日供给，虽是乡村风味，倒也洁净；又有青儿陪着，暂且宽心。那庄上也有几家富户，知道刘老老家来了贾府姑娘，谁不来瞧，都道是天上神仙，（此前未见说巧姐美貌。）也有送菜果的，也有送野味的，倒也热闹。内中有个极富的人家姓周，家财巨万，良田千顷；只有一子，生得文雅清秀，年纪十四岁，他父母延师读书，新近科试，中了秀才。那日他母亲看见了巧姐，心里羡慕，自想：『我是庄家人家，那能配得

起这样世家小姐？』呆呆的想着。刘老老知他的心事，拉着他说：『你的心事我知道了，我给你们做个媒罢。』周妈妈笑道：『你别哄我，他们什么人家，肯给我们庄人？』刘老老道：『说着瞧罢。』于是两人各自走开。

刘老老惦记着贾府，叫板儿进城打听。那日恰好到宁荣街，只见有好些车轿在那里，板儿便在邻近打听。说是：『宁荣两府复了官，赏还抄的家产，如今府里又要起来了。只是他们的宝玉中了官，不知走到那里去了。』（能复的都是身外之物，过眼烟云，俗透了的把戏，自欺欺人而已。不能复的是人，是生命，是青春、爱情、欢乐……）板儿心里喜欢，便要回去。又见好几匹马到来，在门前下马，只见门上打千儿请安，说：『二爷回来了，大喜！大老爷身上安了么？』那位爷笑着道：『好了，又遇恩旨，就要回来了。』还问：『那些人做什么的？』门上回说：『是皇上派官在这里下旨意，叫人领家产。』那位爷便喜欢进去。板儿便知是贾琏了，也不用打听，赶忙回去告诉了他外祖母。刘老老听说，喜的眉开眼笑，去和巧姐儿贺喜，将板儿的话说了一遍。平儿笑说道：『可不是，亏得老老这样一办，不然，姑娘也摸不着那好时候。』巧姐更自欢喜。正说着，那送贾琏信的人也回来了，说是：『姑老爷感激得很，叫我一到家，快把姑娘送回去。又赏了我好几两银子。』刘老老听了得意，便叫人赶了两辆车，请巧姐平儿上车。巧姐等在刘老老家住熟了，反是依依不舍，更有青儿哭着，恨不能留下。刘老老和他不忍相别，便叫青儿跟了进城，一径直奔荣府而来。

且说贾琏先前知道贾赦病重，赶到配所，父子相见，痛哭一场，渐渐的好起。（贾赦踏实点了么？病了又好了，免了又恢复了，看似脱裤子放屁，实为沧桑浮沉。）贾琏接着家书，知道家中的事，禀明贾赦回来，走到中途，听得大赦，

又赶了两天，今日到家，恰遇颁赏恩旨。里面邢夫人等正愁无人接旨，虽有贾兰，终是年轻。人报琏二爷回来，大家相见，悲喜交集。此时也不及叙话，即到前厅，叩见了。钦命大人问了他父亲好，说：『明日到内府领赏。宁国府第，发交居住。』众人起身辞别。贾琏送出门去，见有几辆屯车，家人们不许停歇，正在吵闹，贾琏早知道是巧姐来的车，便骂家人道：『你们这班糊涂忘八崽子！我不在家，就欺心害主，将巧姐儿都逼走了。如今人家送来，还要拦阻，必是你们和我有什么仇么？』众家人原怕贾琏回来不依，想来少时才破，岂知贾琏说得更明，心下不懂，只得站着回道：『二爷出门，奴才们有病的，有告假的，都是三爷、蔷大爷、芸二爷作主，不与奴才们相干。』贾琏道：『什么混账东西！我完了事，再和你们说。快把车赶进来！』

贾琏进去，见邢夫人也不言语，转身到了王夫人那里，跪下磕了个头，回道：『姐儿回来了，全亏太太！环兄弟太太也不用说他了。只是芸儿这东西，他上回看家，就闹乱儿；如今我去了几个月，便闹到这样。回太太的话，这种人，撵了他不往来也使得的。』王夫人道：『你大舅子为什么也是这样？』贾琏道：『太太不用说，我自有道理。』正说着，彩云等回道：『巧姐儿进来了。』见了王夫人，虽然别不多时，想起这样逃难的景况，不免落下泪来。巧姐儿也便大哭。贾琏谢了刘老老。王夫人便拉他坐下，说起那日的话来。贾琏见平儿，外面不好说别的，心里感激，眼中流泪。自此，贾琏心里愈敬平儿，打算等贾赦等回来，要扶平儿为正。（也算好人好报，仍令人恶心。）此是后话，暂且不提。

邢夫人正恐贾琏不见了巧姐，是有一番的周折；又听见贾琏在王夫人那里，心下更是着急，便叫丫头去打听。回来说是巧姐儿同着刘老老在那里说话，邢夫人才如梦初觉，知他们的鬼，还抱怨着王夫人：『调唆我母子不和，到底是那个送信给平儿的？』正问着，只见巧姐同着刘老老，带了平儿，王夫人在后头跟着进来，先把头里的话都说在贾芸王仁身上，说：『大太太原是听见人说，为的是好事。那里知道外头的鬼？』邢夫人听了，自觉羞惭，想起王夫人主意不差，心里也服。（这里似应再敲打敲打，修理修理邢夫人，不能这样草草掩过。）于是邢王二夫人，彼此心下相安。

平儿回了王夫人，带了巧姐到宝钗那里来请安，各自提各自的苦处。又说到：『皇上隆恩，咱们家该兴旺起来了。想来宝二爷必回来的。』（这二十几回，写破败衰亡比较生动，比较惊心魄，写沐恩续泽，则只是草草一说，重心自然在于衰败，而不在于恢复延续。）正说到这话，只见秋纹忽忙来说：『袭人不好了！』不知何事，且听下回分解。

一回双线，一是宝玉赴考中举走失，一是巧姐命运。双线交错写来，颇有趣味。贾赦回来，探春回来，匆匆搞个光明的尾巴，以示小说是『大大的良民』写的，难以厚非。写得不见精神乃至落套拙劣，也是正常的。原要写得次一点的。『红』不甘大团圆，又不可能丝毫不受大团圆模式的影响，遂变成现在的样子——伪大团圆。

明明是伪团圆、伪皇恩浩荡、伪官复原职、伪兰桂齐芳，偏偏后人竟看不明这个『伪』，白白地把高鹗骂了个不轻。

第一百二十回　甄士隐详说太虚情　贾雨村归结红楼梦

话说宝钗听秋纹说袭人不好，连忙进去瞧看。巧姐儿同平儿也随着走到袭人炕前，只见袭人心痛难禁，一时气厥。（对宝玉的出走，袭人差不多是反应最强烈、最痛苦的。这也对得起她与宝玉初试云雨情的缘分了。尔后自谋出路，不死不疯不当姑子，又有什么可责备的？）宝钗等用开水灌了过来，仍旧扶他睡下，一面传请大夫。巧姐儿问宝钗道：『袭人姐姐怎么病到这个样？』宝钗道：『大前儿晚上，哭伤了心了，一时发晕栽倒了。太太叫人扶他回来，他就睡倒了。因外头有事，没有请大夫瞧他，所以致此。』说着，大夫来了，宝钗等略避。大夫看了脉，说是急怒所致，开了方子去了。

原来袭人模糊听见说，宝玉若不回来，便要打发屋里的人都出去，一急，越发不好了。到大夫瞧后，秋纹给他煎药，他各自一人躺着，神魂未定，好像宝玉在他面前，恍惚又像是见个和尚，手里拿着一本册子揭着看，还说道：『你别错了主意，我是不认得你们的了。』袭人似要和他说话，秋纹走来说：『药好了，姐姐吃罢。』袭人睁眼一瞧，知是个梦，也不告诉人。（人皆一梦。庄生晓梦迷蝴蝶，袭人则迷宝玉——和尚了。）吃了药，便自己细细的想：『宝玉必是跟了和尚去。上回他要拿玉出去，便是要脱身的样子。被我揪住，看他竟不像往常，把我混推搡的，一点情意都没有了。（混推混搡，更生厌烦，是你们把宝玉逼成这个样子的呀。）后来待二奶奶更生厌烦。在别的姊妹跟前，也是没有一点情意。这就是悟道的样子。但是你悟了道，抛了二奶奶怎么好？我是太太派我服侍你，虽是月钱照着那样的分例，其实我究竟没有在老爷太太跟前回明，就算了你的屋里人。若是老爷太太打发我出去，我若死守着，又叫人笑话；若是我出去，心想宝玉待我的情分，实在不忍。』左思右想，实在难处。想到刚才的梦，好像和我

无缘的话，倒不如死了干净。岂知吃药以后，心痛减了好些，也难躺着，只好勉强支持。过了几日，起来服侍宝钗。宝钗想念宝玉，暗中垂泪，自叹命苦。又知他母亲打算给哥哥赎罪，很费张罗，不能不帮着打算。暂且不表。

且说贾政扶贾母灵柩，贾蓉送了秦氏、凤姐、鸳鸯的棺木到了金陵，先安了葬。贾蓉自送黛玉的灵，也去安葬。贾政料理坟墓的事。一日，接到家书，一行一行的看到宝玉贾兰得中，心里自是喜欢；后来看到宝玉走失，复又烦恼，只得赶忙回来。在道儿上又闻得有恩旨赦的旨意，又接家书，果然赦罪复职，更是喜欢，便日夜趱行。

一日，行到毗陵驿地方，那天乍寒，下雪，泊在一个清静去处。（此时此地此天气此景，设计得好。）贾政打发众人上岸投帖，辞谢朋友，总说即刻开船，都不敢劳动。船中只留一个小厮伺候，自己在船中写家书，先要打发人起早到家。写到宝玉的事，便停笔。抬头忽见船头上微微的雪影里面一个人，光着头，赤着脚，身上披着一领大红猩猩毡的斗篷，向贾政倒身下拜。（微微的雪影，微微的人影，微微的记忆和想象。拜谢了父母的养育之恩，更加庄严，更加决绝。）贾政尚未认清，急忙出船，欲待扶住问他是谁。那人已拜了四拜，站起来打了个问讯。贾政才要还揖，迎面一看，不是别人，却是宝玉。贾政吃一大惊，忙问道：『可是宝玉么？』那人只不言语，似喜似悲。（『只不言语，似喜似悲』，读八字如嚼橄榄。似喜似悲：弘一法师临终前写下的则是『悲欣交集』四字。）贾政又问道：『你若是宝玉，如何这样打扮，跑到这里？』宝玉未及回言，只见船头上来了两人，一僧一道，夹住宝玉说道：『俗缘已毕，还不快走！』说着，三个人飘然登岸而去。贾政不顾地滑，疾忙来赶，见那三人在前，那里赶得上？只听得他们三人口中不知是那个作歌曰：

我所居兮，青埂之峰，我所游兮，鸿蒙太空。谁与我逝兮，吾谁与从？渺渺茫茫兮，归彼大荒。（这样的歌词，

这样的道理唯大唯初唯空，使得立身扬名、尽忠尽孝的道理反而显得渺小。）

贾政一面听着，一面赶去，转过一小坡，倏然不见。贾政已赶得心虚气喘，惊疑不定。回过头来，见自己的小厮也是随后赶来。贾政问道：『你看见方才那三个人么？』小厮道：『看见的。奴才为老爷追赶，故也赶来。后来只见老爷，不见那三个人了。』贾政还欲前走，只见白茫茫一旷野，并无一人。（大地本来就是白茫茫的。现在，终于恢复了大地的本来面目。谁说续作里没有写出白茫茫大地来呢？）贾政知是古怪，只得回来。

按正统观点，『天下无能第一，世上不肖无双』宝玉的走了，贾兰中了，贾政回来了，贾赦后悔了至少是暂时老实了，宝钗守着成为贾家的重要一员，袭人走了……不是成员更纯洁了吗？可喜可贺，前途光明！这一段宝玉拜别父亲的场面写得扑朔迷离，比较得体。对于生身父亲，无论如何，确应拜别，否则，感情上、道理上难以通过。宝玉一言未发，无声胜有声。表情『似喜似悲』四字亦形容得恰到好处。这样的描写不能翔实，不能铺陈，一点而过，最好。当年的宝玉已脱尽形骸，如今的宝玉，又成了一块天地之间、浑噩噩的石头。这其实比写其死亡更令人欷歔。睹此无悲无喜的宝玉而思原来的衣锦饫甘、爱爱怨怨、花团锦簇的宝玉，叫人哪得不伤悲！什么叫『白茫茫大地真干净』？这就是！并非说人必须死光，家必须不复存在。到那时，谁来见证这悲哀刻骨的经历呢？

众家人回船，见贾政不在舱中，问了船夫，说是老爷上岸追赶两个和尚一个道士去了。众人也从雪地里寻踪迎去，远远见贾政来了，迎上去接着，一同回船。贾政坐下，喘息方定，将见宝玉的话说了一遍。众人回禀，便要在这地方寻觅。贾政叹道：『你们不知道，这是我亲眼见的，并非鬼怪。况听得歌声，大有玄妙。宝玉生下时，衔了玉来，便也古怪，我早知是不祥之兆，为的是老太太疼爱，所以养育到今。（多说几句『生成的、先天的古怪』探

春也是这样说的，客观上是种障眼法——都云作者痴，谁解其中味？真味还是含蓄一些的好。何必把疮疤尽行揭开？）便是那和尚道士，我也见了三次：头一次，是那僧道来说玉的好处；第二次，便是宝玉病重，他来了，将那玉持诵了一番，宝玉便好了；第三次，送那玉来，坐在前厅，我一转眼就不见了。我心里便有些诧异，只道宝玉果真有造化，高僧仙道来护佑他的。岂知宝玉是下凡历劫的，竟哄了老太太十九年！如今叫我才明白。』（人生如梦，人生如『哄』骗，谁哄骗了谁？不哄骗又当如何？）说到那里，掉下泪来。众人道：『宝二爷果然是下凡的和尚，就不该中举人了。怎么中了才去？』贾政道：『你们那里知道，大凡天上星宿，山中老僧，洞里的精灵，他自具一种性情。你看宝玉何尝肯念书？他若略一经心，无有不能的。他那一种脾气，也是各别另样。』（贾政终于为宝玉所折服。他已无法逞父道之尊严了。）说着，又叹了几声。众人便拿兰哥得中、家道复兴的话解了一番。贾政仍旧写家书，便把这事写上，劝谕合家不必想念了。写完封好，即着家人回去，贾政随后赶回。暂且不提。

且说薛姨妈得了赦罪的信，便命薛蝌去各处借贷，并自己凑齐了赎罪银两。刑部准了，收兑了银子，一角文书，将薛蟠放出。（一通百通，一顺百顺。百顺百通，也只能延续一个躯壳，薛府的魂儿已经没有了。）他们母子姊妹弟兄见面，不必细述，自然是悲喜交集了。薛蟠自己立誓说道：『若是再犯前病，必定犯杀犯剐！』（早已犯杀犯剐。薛蟠的誓值几个钱？薛姨妈偏要握他的嘴。）薛姨妈见他这样，便要握他嘴，说：『只要自己拿定主意，必定还要妄巴口舌血淋淋的起这样恶誓么！只香菱跟了你受了多少的苦处，你媳妇已经自己治死自己了，如今虽说穷了，这碗饭还有得吃，据我的主意，我便算他是媳妇了。你心里怎么样？』薛蟠点头愿意。宝钗等也说：『很该这样。』倒把香菱

急得脸胀通红，说是：『伏侍大爷一样的，何必如此。』众人便称起『大奶奶』来，无人不服。（规规矩矩、心甘情愿地做奴才，才能有光明的前途。香菱是『正面』教员，晴雯等则是『反面』教员。称起大奶奶，无人不服，还谦让一番，简直是臭气熏天！薛蟠这样的流氓惯犯，起了暂有什么用？续作者忙着修补伪大团圆的结局，忙着给仅有的几个善人以善报，客观效果却更令人感到凄凉。死去的不能复生，出家的不再回来，有情的不能相会，永远的遗憾！）

薛蟠便要去拜谢贾家。薛姨妈宝钗也都过来。见了众人，彼此聚首，又说了一番的话。正说着，恰好那日贾政的家人回家，呈上书子，说：『老爷不日到了。』王夫人叫贾兰将书子念给听。贾兰念到贾政亲见宝玉的一段，众人听了，都痛哭起来，王夫人、宝钗、袭人等更甚。大家又将贾政书内叫家内『不必悲伤，原是借胎』（『借胎云云，倒也潇洒。生命只不过是一时借到，到期还给大荒。『天地者万物之逆旅，人生者百代之过客。』）的话解了一番：『与其作了官，倘或命运不好，犯了事，坏家败产，那时倒反不好了，宁可咱们家出一位佛爷，倒是老爷太太的积德，所以才投到咱们家来。不是说句不顾前后的话，当初东府里太爷，倒是修炼了十几年，也没有成了仙，这佛是更难成的。太太这么一想，心里便开豁了。』（仙佛杂烩。你怎么知道宝玉成了佛而不是冻馁而死？）王夫人哭着和薛姨妈道：『宝玉抛了我，我还恨他呢。我叹的是媳妇的命苦，才成了一二年的亲，怎么他就硬着肠子都撂下了走了呢！』（一切人间幸福、人间痛苦，他都亲尝了，经过了，留下痕迹了。而他自己，无影无踪了。这不是很悲哀么？）薛姨妈听了，也甚伤心。宝钗哭得人事不知。所有爷们都在外头。王夫人便说道：『我为他担了一辈子的惊，刚刚儿的娶了亲，中了举人，又知道媳妇作了胎，我才喜欢些，不想弄到这样结局！早知这样，就不该娶亲，害了人家的姑娘。』（不是宝玉要娶的。）薛姨妈道：『这是自己一定的。咱们这样人家，还有什么别的说的吗？幸喜有了胎，将来生个外孙子，必定是有成立的，后来就有了结果了。你看大奶奶，如今兰哥儿中了举人，明年成了进士，可不是就做了官了么？他头里的苦也算吃尽的了，如今的甜来，也是应为人的好处。（唯官论。宝玉的行为真是对唯官论的一大讽刺。）我们姑娘的心肠儿，姊姊是知道的，并不是刻薄轻佻的人，姊姊倒不必耽忧。』

王夫人被薛姨妈一番言语说得极有理，心想：『宝钗小时候，便是廉静寡欲，极爱素淡的，他所以才有这个事。想来生在世，真有一定数的。看着宝钗虽是痛哭，他端庄样儿一点不走，却倒来劝我，这是真真难得的！（也是一种理想，一种极致。）不想宝玉这样一个人，红尘中福分，竟没有一点儿。』想了一回，也觉解了好些。又想到袭人身上：『若说别的丫头呢，没有什么难处的，大的配了出去，小的伏侍二奶奶就是了。独有袭人，可怎么处呢？』（为何袭人『独有』起来？你并不知别情。那么，为了你每月二两银子的特殊补贴？）此时人多，也不好说，且等晚上和薛姨妈商量。

那日薛姨妈并未回家，因恐宝钗痛哭，所以在宝钗房中解劝。那宝钗却是极明理，思前想后：『宝玉原是一种奇异的人，夙世前因，自有一定，原无可怨天尤人。』（宝钗是心理自我保健的楷模，是自欺欺人的典范。）更将大道理的话告诉他母亲了。薛姨妈心里反倒安了，便到王夫人那里，先把宝钗的话说了。王夫人点头叹道：『若说我无德，不该有这样好媳妇了。』说着更又伤心起来。

薛姨妈倒又劝了一会子，因又提起袭人来，说：『我见袭人近来瘦的了不得，他是一心想着宝玉儿。但是正配呢，理应守的，屋里人愿守也是有的。惟有这袭人，虽说是算个屋里人，到底他和宝哥儿并没有过明路儿的。』

（袭人的尴尬。）王夫人道：『我才刚想着，正要等妹妹商量商量。若说放他出去，恐怕他不愿意，又要寻死觅活的；若要留着他也罢，又恐老爷不依，所以难处。』（其实大家都尴尬。但别人终有名分。）薛姨妈道：『我看姨老爷是再不肯叫守着的。再者，姨老爷并不知道袭人的事，想来不过是个丫头，那有留的理呢？只要姊姊叫他本家的人来，狠狠的吩咐他，叫他配一门正经亲事，再多多的陪送他些东西。那孩子心肠儿也好，年纪儿又轻，也不枉跟了姐姐会子，也算姐姐待他不薄了。（姐姐——王夫人待她一直不薄，不止不薄，而且超厚。）袭人那里，还得我细细劝他。就是叫他家的人来，也不用告诉他，只等他家里果然说定了好人家儿，我们还打听打听，若果然足衣足食，女婿长的像个人儿，然后叫他出去。』王夫人听了，道：『这个主意很是。不然，叫老爷冒冒失失的一办，我可不是又害了一个人了么？』（你已经知道害了许多人了么？不然，何谓『又害了一个』？）薛姨妈听了，点头道：『可不是么？』又说了几句，便辞了王夫人仍到宝钗房中去了。看见袭人泪痕满面，薛姨妈便劝解譬喻了一会。袭人本来老实，不是伶牙利齿的人，薛姨妈说一句，他应一句，回来说道：『我是做下人的人，姨太太瞧得起我，才和我说这些话。我是从不敢违拗太太的。』薛姨妈听他的话，『好一个柔顺的孩子！』心里更加喜欢。宝钗又将大义的话说了一遍，大家各自相安。（大义的话说来说去，无非是要人逆来顺受，安于现状，走到哪儿说到哪儿，控制住自己的情绪的意思。当然，这一套还是有用处的，也是不可少的。）

红尘福分，宝玉比任何人都多。宠爱、地位、条件、服务，都是不可思议的最高级别的。尤其是，他处于那么多女孩子的宠爱之下，他爱了那么多女（还有男）孩子，又那样深情地专一地爱上了黛玉。古往今来的读者，谁能不羡慕他的生活与环境？这种福太多了。终于，

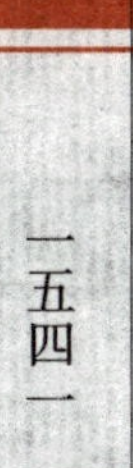

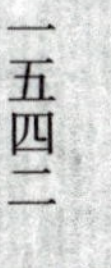

混推混搡，更生厌烦了。他的人格、他的感情遭到了蹂躏、欺骗、歪曲、压制、漠视。更是由于有福，他才不那么满足于能生存能吃喝能从异性身上满足生理欲望，他才绝望。这是一部绝望的书。这是一部控诉的书。这是一部无可如何的书。垮得实实在在，悲悲切切。复得虚虚表表，空空荡荡。袭人不过一个奴才，断没有为宝玉守节的道理。只是她自己原来调子太高了，似乎是宝玉身边人员中唯一能照顾宝玉保护宝玉引导宝玉健康成长走正路出成绩的。这样，客观上便出卖、打击了别人。她的胜利是实用主义的胜利。旁人的失败是性情主义理想主义的失败。她之所以举保护宝玉健康成长的大旗也是因为这面旗有用——至少为她带来了特殊补贴。这样，以实用主义来考虑，她的选择是必然的也是完全有道理的。多几个鸳鸯、紫鹃式的人物，又有什么值得称道的呢？

过了几日，贾政回家，众人迎接。贾政见贾赦贾珍已都回家，弟兄叔侄相见，大家历叙别来的景况。然后内眷们见了，不免想起宝玉来，又大家伤了一会子心。贾政喝住道：『这是一定的道理！如今只要我们在外把持家事，你们在内相助，断不可仍是从前这样的散漫。别房的事，各有各家料理，也不用承总。我们本房的事，里头全归于你，都要按理而行。』（搞成『独联体』吗？贾政怎么管起这些事来啦？）王夫人便将宝钗有孕的话也告诉了，将来丫头们都放出去。贾政听了，点头无语。

次日，贾政进内请示大臣们，说是：『蒙恩感激，但未服阕，应该怎么谢恩之处，望乞大人们指教。』众朝臣说是代奏请旨。于是圣恩浩荡，即命陛见。贾政进内谢了恩。圣上又降了好些旨意，又问起宝玉的事来。贾政据实回奏。圣上称奇，旨意说，宝玉的文章固是清奇，想他必是过来人，所以如此。（果然圣明：是过来人！）若在朝中，可以进用；他既不敢受圣朝的爵位，便赏了一个『文妙真人』的道号。（虽然不伦不类，却也画饼充饥，对付贾政之流的『浊

物』，这尾巴已经光明得辉煌耀眼，够用一个历史时期的了。其实各种封号、头衔，细想，都有些幽默处。）贾赦贾珍这样不招人待见的行子回来了，谁能安慰呢？贾赦就此死在外头可能反令读者气顺。『圣上』没有因为宝玉中举叛逃而加罪，反而抚慰并创造性地想出了『文妙真人』的雅号送给已不存在的贾政儿子，真是恩重如山。甚至于，可以说『圣上』也颇有幽默感呢。

贾政又叩头谢恩而出，回到家中，贾琏贾珍接着。贾政将朝内的话述了一遍，众人喜欢。贾珍便回说：『宁国府第，收拾齐全，回明了要搬过去。栊翠庵圈在园内，给四妹妹养静。』贾政并不言语，隔了半日，却吩咐了一番仰报天恩的话。贾琏也趁便回说：『巧姐亲事，父亲太太都愿意给周家为媳。』贾政昨晚也知巧姐的始末，便说：『大老爷大太太作主就是了。莫说村居不好，只要人家清白，孩子肯念书，能够上进。朝里那些官儿，难道都是城里的人么？』（面向农村，不再盛气凌人。）贾琏答应了『是』，又说：『父亲有了年纪，况且又有痰症的根子，静养几年，诸事原仗二老爷为主。』（贾赦痰症，贴切。）贾政道：『提起村居养静，甚合我意，只是我受恩深重，尚未酬报耳。』贾政说毕进内，贾琏打发请了刘老老来，应了这件事。刘老老见了王夫人等，便说些将来怎样升官，怎样起家，怎样子孙昌盛。

正说着，丫头回道：『花自芳的女人进来请安。』王夫人问几句话，花自芳的女人将亲戚作媒，说的是城南蒋家的，现在有房有地，又有铺面。姑爷年纪略大几岁，并没有娶过的，况且人物儿长的是百里挑一的。王夫人听了愿意，说道：『你去应了，隔几日进来，再接你妹子罢。』王夫人又命人打听，都说是好。王夫人便告诉了宝钗，仍请了薛姨妈细细的告诉了袭人。袭人悲伤不已，又不敢违命呢，心里想起宝玉那年到他家去，回来说的

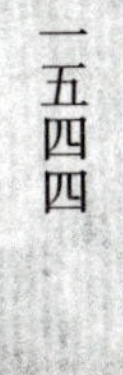

死也不回去的话，『如今太太硬作主张，若说我守着，又叫人说我不害臊；若是去了，实不是我的心愿。』便哭得咽哽难鸣。又被薛姨妈宝钗等苦劝，回过念头想道：『我若是死在这里，倒把太太的好心弄坏了，我该死在家里才是。』于是袭人含悲叩辞了众人。那姐妹分手时，自然更有一番不忍说。（树倒猢狲散，总比树倒猢狲死或树倒猢狲守更合理。）

袭人怀着必死的心肠，上车回去，见了哥哥嫂子，也是哭泣，但只说不出来。那花自芳悉把蒋家的聘礼送给他看，又把自己所办妆奁一一指给他瞧，说：『那是太太赏的，那是置办的。』袭人此时更难开口，住了两天，细想起来：『哥哥办事不错。若是死在哥哥家里，岂不又害了哥哥呢。』千思万想，左右为难，真是一缕柔肠，几乎牵断，只得忍住。（既然温柔和顺，那就对谁都可以温柔和顺。温柔和顺的实用价值是可以被普遍认同的。温柔和顺的实用性，使之与恪守节操的执着性不相容。）

那日已是迎娶吉期，袭人本不是那一种泼辣的人，委委屈屈的上轿而去，心里另想到那里再作打算。岂知过了门，见那蒋家办事，极其认真，全都按着正配的规矩。一进了门，丫头仆妇，都称『奶奶』。袭人此时欲要死在这里，又恐害了人家，辜负了一番好意。那夜原是哭着不肯俯就的，那姑爷极柔情曲意的承顺。到了第二天开箱，这姑爷看见一条猩红汗巾儿，方知是宝玉的丫头。原来当初只知是贾母的侍儿，益想不到是袭人。此时蒋玉函念着宝玉待他的旧情，倒觉满心惶愧，更加周旋，又故意将宝玉所换那条松花绿的汗巾拿出来。袭人看了，方知这姓蒋的原来就是蒋玉函，始信姻缘前定。袭人才将心事说出。蒋玉函也深为叹息敬服，不敢勉强，并越发温柔体贴，

弄得个袭人真无死所了。

看官听说：虽然事有前定，无可奈何，但孽子孤臣，义夫节妇，这『不得已』三字也不是一概推委得的。此袭人所以在『又副册』也。（袭人有权利选择又副册。她做的哪一门子孽子孤臣、义夫节妇？）正是前人过那桃花庙的诗上说道：

千古艰难惟一死，伤心岂独息夫人！（死不着。）

对于诸女性的命运，本书已写完毕。借士隐雨村之口稍加评论，也可以视为严正结论，也可以视为顾左右而言他乃至掩人耳目，甚至于，未尝不可视为是在说反话呢。已经有千千万万的专家、学者、读者参与到这个甄与贾的谈论中，还要继续谈下去。你同意他们的见解，自可点头称是，你不同意，翻案文章正面做，字字从反面理解，视为激愤之语亦可也。

不言袭人从此又是一番天地。且说那贾雨村犯了婪索的案件，审明定罪，今遇大赦，递籍为民。雨村因叫家眷先行，自己带了一个小厮，一车行李，来到急流津觉迷渡口。只见一个道者，从那渡头草棚里出来，执手相迎。雨村认得是甄士隐，也连忙打恭。（回到贾雨村、甄士隐这里来，如一圆环，开端与结尾处相连，这是非常中国式的结构。急流觉迷，谈何容易。）士隐道：『贾老先生，别来无恙？』雨村道：『老仙长到底是甄老先生！何前次相逢，觌面不认？后知火焚草亭，鄙下深为惶恐。今日幸得相逢，益叹老仙翁道德高深。奈鄙人下愚不移，致有今日。』甄士隐道：『前者老大人高官显爵，贫道怎敢相认？原因故交，敢赠片言，不意老大人相弃之深。然而富贵穷通，亦非偶然。今日复得相逢，也是一桩奇事。这里离草庵不远，暂请膝谈，未知可否？』雨村欣然领命。

两人携手而行，小厮驱车随后，到了一座茅庵。士隐让进，雨村坐下，小童献上茶来。雨村便请教仙长超尘

的始末。士隐笑道：『一念之间，尘凡顿易。（好一个『一念之间』！）老先生从繁华境中来，岂不知温柔富贵乡中有一宝玉乎？』雨村道：『怎么不知！近闻纷纷传述，说他也遁入空门。下愚当时也曾与他往来过数次，再不想此人竟有如是之决绝。』士隐道：『非也。这一段奇缘，我先知之。昔年我与先生在仁清巷旧宅门口叙话之前，我已会过他一面。』雨村惊讶道：『京城离贵乡甚远，何以能见？』士隐道：『神交久矣。』雨村道：『既然如此，现今宝玉的下落，仙长定能知之。』士隐道：『宝玉，即「宝玉」也。（要点题了么？）那年荣宁查抄之前，钗黛分离之日，此玉早已离世。一为避祸，二为撮合，从此夙缘一了，形质归一。又复稍示神灵，高魁贵子，方显得此玉那天奇地灵锻炼之宝，非凡间可比。（对人间种种故事做出非人间的、超人间的解释，给人以柳暗花明又一村的感觉。）前经茫茫大士渺渺真人携带下凡，如今尘缘已满，仍是此二人携归本处，便是宝玉的下落。』雨村听了，虽不能全然明白，却也十知四五，便点头叹道：『原来如此！下愚不知。但那宝玉既有如此的来历，又何以情迷至此，复又豁悟如此？还要请教。』（不迷情知情何以谈豁悟？不豁悟又何以写情绘情谈情？）士隐笑道：『此事说来，老先生未必尽解。太虚幻境，即是真如福地。两番阅册，原始要终之道，历历生平，如何不悟？仙草归真，焉有「通灵」不复原之理呢？』雨村听着，却不明白了，知仙机也不便更问。因又说道：『宝玉之事，既得闻命。但是敝族闺秀，如是之多，何元妃以下，算来结局俱属平常呢？』士隐叹息道：『老先生莫怪拙言，贵族之女，俱属从情天孽海而来。大凡古今女子，那「淫」字固不可犯，只这「情」字，也是沾染不得的。所以崔莺苏小，无非仙子尘心；宋玉相如，大是文人口孽。凡是情思缠绵，合那结局就不可问了。』（加上这么一段腐儒之见，使作者的倾向更加含蓄，

（使小说的解释更加富有空间，也使小说的流传更少受到些压力。）雨村听到这里，不觉扭须长叹。因又问道：『请教老仙翁，那荣宁两府，尚可如前？』士隐道：『福善祸淫，古今定理。现今荣宁两府，善者修缘，恶者悔祸，将来兰桂齐芳，家道复初，也是自然的道理。』（泛泛一说，聊以安慰庸众。并不影响总的悲剧结局。因此便指责续作，乃至提高到世界观的高度，似乎高鹗必不如雪芹之反封建，未免如本回所说『胶柱鼓瑟』『刻舟求剑』了。）雨村低了半日头，忽然笑道：『是了，是了！现在他府中有一个名兰的，已中乡榜，恰好应着『兰』字。适闻老仙翁说『兰桂齐芳』，又道『宝玉高魁子贵』，莫非他有遗腹之子，可以飞黄腾达的么？』士隐微微笑道：『此系后事，未便预说。』

雨村还要再问，士隐不答，便命人设具盘飧，邀雨村共食。食毕，雨村还要问自己的终身。士隐便道：『老先生草庵暂歇。我还有一段俗缘未了，正当今日完结。』雨村惊讶道：『仙长纯修若此，不知尚有何俗缘？』士隐道：『也不过是儿女私情罢了。』雨村听了，益发惊异：『请问仙长何出此言？』士隐道：『老先生有所不知，小女英莲，幼遭尘劫，老先生初任之时，曾经判断。今归薛姓，产难完劫，遗一子于薛家，以承宗祧。此时正是缘尘脱尽之时，只好接引接引。』士隐说着，拂袖而起。雨村心中恍恍惚惚，就在这急流津觉迷渡口草庵中睡着了。

这士隐自去度脱了香菱，送到太虚幻境，交那警幻仙子对册。（这样从彼岸的观点写香菱在此岸之死，别开生面。试从此岸的观点一看，不能不为香菱的命运叹息。）刚过牌坊，见那一僧一道缥缈而来。士隐接着说道：『大士、真人，恭喜，贺喜！情缘完结，都交割清楚了么？』那僧道说：『情缘尚未全结，倒是那蠢物已经回来了。还得把他送还原所，将他的后事叙明，也不枉他下世一回。』士隐听了，便拱手而别。那僧道仍携了玉到青埂峰下，将『宝玉』安放在女娲炼石补天之处，各自云游而去。（安放已矣，确能安否？）从此后：

天外书传天外事，两番人作一番人。（这就是文学，可以传奇天外事，可以两番多番人生。）

在青埂峰看『红楼』，是痴迷一梦，转眼成空。在『楼』里看青埂峰，渺渺茫茫，深不可测，无休无解，无声无息。而痴自痴，迷自迷，不仅『楼』里人痴，吾辈亦痴亦迷，为之长太息以掩涕。太息过后，回首青埂无稽大荒，一切洪荒，一切说过，一切有定，更觉无喜无悲，极喜极悲。贾宝玉从『楼』回归『峰』，用了十几二十来年。吾辈读者，进而入楼而迷，时而归峰而止，体验了富贵温柔，体验了恩恩怨怨，体验了死去活来，体验了从骄奢淫佚到衰落败亡，最后，我们又体验到了那峰之高，那崖之峻，那山之空濛邀远，安静肃穆，以至于永恒。感谢《红楼梦》，让我们一次又一次多获得许多次生的体验乃至死的体验。阿弥陀佛！

这一日，空空道人又走青埂峰前经过，见那补天未用之石仍在那里，上面字迹依然如旧，又从头的细细看了一遍，（字迹不是空。色不是空。此石头——宝玉不是空。业已永志不忘。）见后面偈文后又历叙了多少收缘结果的话头，便点头叹道：『我从前见石兄这段奇文，原说可以闻世传奇，所以曾经抄录，但未见返本还原。不知何时，复有此一佳话？方知石兄下凡一次，磨出光明，修成圆觉，也可谓无复遗憾了。只怕年深日久，字迹模糊，反有舛错，不如我再抄录一番，寻个世上清闲无事的人，托他传遍，知道奇而不奇，俗而不俗，真而不真，假而不假。或者尘梦劳人，聊倩鸟呼归去；山灵好客，更从石化飞来，亦未可知。』（故事奇，事理不奇。形态俗，蕴含不俗。感情真，形迹不真。『小说』假，体验不假。）想毕，便又抄了，仍袖至那繁华昌盛的地方，遍寻了一番，不是建功立业之人，即系糊口谋衣之辈，那有闲情更去和石头饶舌。直寻到急流津觉迷渡口草庵中，睡着一个人，因想他必是闲人，便要将这抄录的《石头记》给他看看。那知那人再叫不醒。空空道人复又使劲拉他，才慢慢的开眼坐起。便接来草草一看，仍旧掷下道：『这事我已亲见尽知。你这抄录的尚无舛错。我只指与你一个人，托他传去，便可归结这一新鲜公案了。』空空道人忙问何人，那人道：『你须待某年，某月，某日，某时，到一个悼红轩中，有个曹雪芹先生，只说贾雨村言，托他如此如此。』（贾雨村的境界也不同了。）说毕，仍旧睡下了。

大悲哀，大潇洒，大解脱。故有『尘梦……山灵……』一联。越说是空的、假的、命中注定了的，你越为之伤肝痛肺，难分难解。越感动就越为这部小说的开头与结尾感到肃穆，开阔，无言。面对着《红楼梦》就是面对着生，面对着情，面对着人间万景。面对着《红楼梦》就是面对着死，面对着命运，面对着宇宙洪荒。面对着时间，百年千年万年只是它的一瞬的永恒。面对着空间，大观园、荣国府，金陵与海疆，只是它的一粟的沧海。你面对着的是终极的——上帝。

那空空道人牢牢记着此言，又不知过了几世几劫，果然有个悼红轩，见那曹雪芹先生正在那里翻阅历来的古史。空空道人便将贾雨村言了，方把这《石头记》示看。那雪芹先生笑道：『果然是「贾雨村言」了！』空空道人便问：『先生何以认得此人，便肯替他传述？』雪芹先生笑道：『说你空，原来你肚里果然空空。既是「假语村言」，但无鲁鱼亥豕以及背谬矛盾之处，乐得与二三同志，酒余饭饱，雨夕灯窗之下，同消寂寞，又不必大人先生品题传世。（抡几下，砍几下，扯到了作家这里。作家可以与空空道人交通。作家完全了解假语村言的意义。作家可以轻轻松松，把它归入『同消寂寞』的游戏文字行列。）似你这样寻根究底，便是刻舟求剑，胶柱鼓瑟了。』（不思入流。预先警告劝诫了多少评者！这部小说很注意预应力的功能设置。）那空空道人听了，仰天大笑，掷下抄本，飘然而去。一面走着，口中说道：『果然

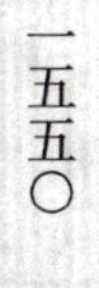

是敷衍荒唐！不但作者不知，抄者不知，并阅者也不知。不过游戏笔墨，陶情适性而已！』后人见了这本奇传，亦曾题过四句偈语，为作者缘起之言更转一竿头云：

说到辛酸处，荒唐愈可悲。

由来同一梦，休笑世人痴！（不痴无梦。无梦无醒。辛酸而又荒唐，这就是小说了。辛酸、荒唐、梦幻、痴迷，这就是人生的终极体验了。活下去就会体验下去，就会读下去，就会获得新的体验。『说到辛酸处』四句，与前文『满纸荒唐言』四句配得很好，不让前者。）

一个爱情悲剧与家族衰落败亡的故事。把这样的故事推到尽头，便进入了生命发生、生命意义、爱情发生、爱情命运的领域。进入了终极领域。在这个领域，你见到了原生的大自然，女娲补过的天，你见到了一块石头——晶莹的宝玉——情迷而后豁悟，生活在温柔富贵乡而终于弃绝了温柔富贵的贾宝玉——和尚——被和尚道士带走的宝玉——石头——大自然。这是宝玉的故事，生命的故事，爱情的故事，也是人类的故事，地球的故事，宇宙的故事。这样的故事无所不包。这样的故事永垂不朽。归结为『敷衍荒唐』四字。荒唐感不是伤感，不是愤怒，不是留恋，不是宣战也不是和解。荒唐是一个更高的美学范畴。它超越也包括了伤感、愤怒、留恋、宣战与和解。是人生荒唐？家事荒唐？封建制度荒唐？宇宙荒唐？还是小说荒唐呢？荒唐的是『红楼』。荒唐的是宝玉。荒唐的是宝黛爱情。荒唐的是一种终极性。知道了荒唐，您将进入一个新的境界。感谢《红楼梦》，给了我们迄今为止最深刻、最丰富、最辛酸、最荒唐的人生体验。）

『寻根究底，便是刻舟求剑，胶柱鼓瑟。』我希望将这十四个字印在各种版本的《红楼梦》与红学文集上，以为鲁鱼亥豕、背谬矛盾的人之戒。